DISCUSSIONS AVEC MES PARENTS

Édition : Guylaine Girard
Infographie : Johanne Lemay
Révision : Élyse-Andrée Héroux
Correction : Joëlle Bouchard et Ginette Choinière

Données de catalogage disponibles auprès de Bibliothèque et Archives nationales du Québec

03-17

Imprimé au Canada

Dépôt légal : 2017
Bibliothèque et Archives nationales du Québec

ISBN 978-2-7619-4769-5

DISTRIBUTEURS EXCLUSIFS :

Pour le Canada et les États-Unis :
MESSAGERIES ADP inc.*
Téléphone : 450-640-1237
Internet : www.messageries-adp.com
* filiale du Groupe Sogides inc.,
filiale de Québecor Média inc.

Pour la France et les autres pays :
INTERFORUM editis
Téléphone : 33 (0) 1 49 59 11 56/91
Service commandes France Métropolitaine
Téléphone : 33 (0) 2 38 32 71 00
Internet : www.interforum.fr
Service commandes Export – DOM-TOM
Internet : www.interforum.fr
Courriel : cdes-export@interforum.fr

Pour la Suisse :
INTERFORUM editis SUISSE
Téléphone : 41 (0) 26 460 80 60
Internet : www.interforumsuisse.ch
Courriel : office@interforumsuisse.ch
Distributeur : OLF S.A.
Commandes :
Téléphone : 41 (0) 26 467 53 33
Internet : www.olf.ch
Courriel : information@olf.ch

Pour la Belgique et le Luxembourg :
INTERFORUM BENELUX S.A.
Téléphone : 32 (0) 10 42 03 20
Internet : www.interforum.be
Courriel : info@interforum.be

Gouvernement du Québec – Programme de crédit d'impôt pour l'édition de livres – Gestion SODEC – www.sodec.gouv.qc.ca

L'Éditeur bénéficie du soutien de la Société de développement des entreprises culturelles du Québec pour son programme d'édition.

Conseil des Arts du Canada | Canada Council for the Arts

Nous remercions le Conseil des Arts du Canada de l'aide accordée à notre programme de publication.

Financé par le gouvernement du Canada
Funded by the Government of Canada | Canada

Nous reconnaissons l'aide financière du gouvernement du Canada par l'entremise du Fonds du livre du Canada pour nos activités d'édition.

François Morency

DISCUSSIONS AVEC MES PARENTS

Préface d'India Desjardins

Une société de Québecor Média

PRÉFACE

Ce livre est une craque

Un soir de semaine, début des années 1990, je rentre de l'école et je m'installe à la table de la cuisine pour faire mes devoirs, lorsque ma mère arrive du travail.

MA MÈRE : India, va te changer ! On sort.

MOI : On sort où ? Je ne peux pas, faut que j'étudie, j'ai un examen demain.

MA MÈRE : Un examen, ça va te donner une note pour une fois, mais un spectacle, ça va te donner une expérience enrichissante pour la vie !

MOI : C'est quoi le spectacle ?

MA MÈRE : Un jeune humoriste. François Morency.

MOI : En quoi ça va me donner une expérience pour la vie d'aller voir un humoriste quand j'ai besoin d'étudier pour mon examen ? Faut que je révise ma grammaire !

MA MÈRE : C'est quoi ton examen ?

MOI : Composition écrite.

MA MÈRE : Ben c'est ça ! Ça va t'inspirer !

Une seule explication : ma mère est revirée sur le top. Les mères de mes amies les encouragent dans leurs études. Et moi, c'est clair, elle m'encourage dans une vie de déchéance. À cette époque, ma mère est journaliste culturelle. Depuis que mes parents sont séparés, elle a un million d'occasions de sorties, mais pas d'accompagnateurs. Mon père lui fera sûrement entendre raison. Je l'appelle en cachette.

MOI : Papa…

MON PÈRE : Pourquoi tu chuchotes ?

MOI : Pour pas que maman m'entende.

MON PÈRE : Qu'est-ce que tu as fait ?

MOI : C'est qu'elle veut m'obliger à aller voir un show d'humour au lieu d'étudier.

MON PÈRE : Ah, chanceuse ! C'est vraiment une affaire qui me manque de ta mère, de ne plus l'accompagner.

MOI : Un, c'est vraiment insultant pour elle. Deux, vous aviez juste à pas vous séparer ! Mêlez-moi pas à vos affaires !

MON PÈRE : C'est quoi ton examen ?

MOI : Composition écrite.

MON PÈRE : Ça va sûrement t'inspirer !

Merci, chers mère et père, de m'avoir forcée à aller voir le show de François Morency dans les années 1990. Car trente ans plus tard, ça m'a inspiré le début de cette préface !

Dans un univers parallèle, François et moi serions sûrement des amis d'enfance. Nous aurions le même âge et nous nous serions rencontrés au primaire. Il m'aurait fait plein de blagues que j'aurais confondues avec une forme d'intimidation. Je me serais confiée à ma mère en pleurant, et ma mère m'aurait dit : « Il veut seulement être ton ami. Apprends à le connaître. N'embarque pas dans ses niaiseries. » Ce à quoi j'aurais répondu : « Tu comprends rien, maman !!! » Puis, j'aurais fini par suivre son conseil, et c'est ainsi qu'on serait devenus amis. Au secondaire, nous ne nous serions pas perdus de vue même s'il étudiait au Collège des Jésuites et moi au collège Notre-Dame-de-Bellevue. Il m'aurait présenté des gars de son école, je lui aurais présenté des filles de la mienne. Et à l'âge adulte, nous serions ce genre d'amis qui se connaissent depuis si longtemps qu'on sait à qui on a affaire et qu'il n'y a pas de masques qui tiennent. Juste la vérité, et une belle complicité sur fond de taquinerie.

Dans la vraie vie, nous n'avons pas le même âge. J'ai découvert François lors de cette soirée où j'ai été obligée d'accompagner ma mère nouvellement divorcée, alors que j'avais un examen le lendemain. Et j'ai eu un coup de cœur. Peut-être parce que c'était mon premier show d'humour. Sûrement parce que son show était très bon. Ça m'a donné envie d'aller voir tout ce qui se faisait en humour. Et il est toujours resté parmi mes humoristes préférés.

Nous sommes devenus amis à l'âge adulte. Et peut-être parce que nous avons en commun d'avoir conservé notre cœur d'enfant, nous nous sommes rencontrés de la même façon que ça se serait passé au primaire. Il m'a taquinée. Je ne comprenais pas trop ce qu'il voulait, je me demandais s'il m'intimidait. Puis, finalement, j'ai découvert que taquiner était sa façon de tisser des liens. Devenir amis à l'âge adulte, c'est moins facile. On se protège un peu plus. Il y a des petites écorchures de la vie qui font que c'est moins facile d'ouvrir son cœur, et on se dévoile moins vite. François fait partie de cette catégorie de gens dont la carapace qui protège sa grande sensibilité ne craque jamais. Son humour est son armure contre les grandes confidences. Il faut apprendre à le connaître à son rythme.

C'est dans les salons du livre que j'ai appris à le connaître davantage. Chaque année, plusieurs vedettes issues de différents milieux publient un livre. François m'a surprise par son humilité. Il est arrivé en toute discrétion, intéressé à découvrir les auteurs, le milieu littéraire, à s'y intégrer sans rien forcer. Tranquillement, j'ai reconnu chez lui les qualités des plus grands. Ces artistes dont on dit que la carrière dure pour plusieurs raisons. Un mélange de talent, de travail acharné, mais également de qualités du cœur qui font que le public les adopte pour la vie.

Ce livre est une craque dans son armure. Au fil de ses pages, il en dévoile plus sur lui-même, et on apprend à le connaître dans une intimité sur laquelle on l'a rarement vu ouvrir la porte. Ce qui rend le tout d'autant plus touchant.

Quand il m'a proposé d'écrire la préface de ce livre, j'étais plutôt surprise.

MOI : Pourquoi moi ? Pourquoi tu ne demandes pas à tes amis plus connus ? C'est quoi le rapport ? Mon public est plus jeunesse, avec *Aurélie Laflamme*. Oups. Non. Oublie ça. On est toujours de même, nous les filles, un peu trop insécures. Et ce n'est pas féministe. Faut que j'aille plus confiance en moi. Non, tu fais bien de me le demander. Tu dois avoir tes raisons.

FRANÇOIS : Écoute, je te laisse gérer ton féminisme, pis tu me reviendras avec ta réponse.

Nous étions dans un restaurant du Plateau-Mont-Royal, mon quartier. Je voulais lui faire découvrir un restaurant reconnu pour sa cuisine créative.

SERVEUSE : Vous êtes prêts à commander ?

FRANÇOIS : Je vais prendre le poulet.

MOI : Le poulet ?

FRANÇOIS : Oui, le poulet.

MOI : Ah bon.

FRANÇOIS : Quoi ? !

MOI : Non, non. Rien. C'est bon du poulet.

FRANÇOIS : Enwèye ! Dis ce que tu penses, Desjardins !

MOI : Non, mais je sais pas, je voulais te faire découvrir un bon restaurant pis tu prends le poulet.

FRANÇOIS : J'aime ça le poulet ! J'avais le goût du poulet. J'ai pris le poulet ! C'est tout. C'est quoi le problème ?

MOI : J'sais pas. Ça fitte avec toi, on dirait. Tu choisis les valeurs sûres.

Un gros « Pffff ! » s'est ensuivi.

Il a pris le poulet. J'ai pris un plat créatif que j'ai trouvé « intéressant », puis j'ai goûté à son poulet que j'ai trouvé vraiment meilleur que mon plat (sans nécessairement le lui avouer).

Par la suite, il m'a envoyé le manuscrit de son livre, que j'ai lu avec grande avidité. J'ai ri. Et j'ai souvent été émue.

Ça m'a rappelé mes parents, mes grands-parents... et ce moment dans la vie où on commence à voir nos aînés d'une façon différente. Où on commence à pressentir de plus en plus fort que s'ils nous quittent, ils vont nous manquer. Ça m'a fait penser à l'amour entre les couples unis jusqu'à ce que la mort les sépare. Je me rappelle qu'à la fin de sa vie, mon grand-père changeait de place à la table pour être à côté de ma grand-mère. Il lui faisait toujours des compliments, la regardait avec des yeux amoureux, et ils se donnaient souvent des becs sur les joues. Mon grand-père souffrait de la maladie d'Alzheimer, et le dernier mot qu'il a prononcé avant de mourir a été le nom de ma grand-mère...

Avec ce livre, François rend hommage à ses parents, mais aussi à toutes les familles et aux gens qui s'aiment à travers les petits moments du quotidien. Aux traditions qui se perdent. Et, en filigrane, cette question : Pourquoi on se complique tant la vie de nos jours ?

Ce livre est comme le poulet sur un menu. Il est réconfortant. C'est le livre d'un homme taquin qui reconnaît que le bonheur se trouve dans les choses simples.

India Desjardins

P.-S. Pour ma composition écrite, le lendemain du spectacle de François, j'ai eu une très mauvaise note et la mention « Hors sujet ».

INTRODUCTION

J'ai cinquante ans et j'ai encore mes deux parents dans ma vie. Ils ont quatre-vingt-neuf ans, ils sont ensemble, en bonne santé et amoureux, ce qui est très rare et constitue un énorme privilège.

Ils ont été et continuent d'être des parents extraordinaires; aimants, protecteurs, généreux, vivant souvent par procuration à travers les bonheurs de leurs enfants.

Pendant toutes ces années, ni moi, ni mes deux frères, ni ma sœur ne les avons vus se chicaner pour des questions de fidélité, d'argent ou de divergences fondamentales sur les principes de vie. Sur ces aspects essentiels au bon fonctionnement du couple, c'est la bonne entente totale. Cependant, sur les détails du quotidien, c'est un peu plus complexe.

Par un beau dimanche soir de 2014, je les appelle pour prendre des nouvelles. Comme c'est souvent le cas, mon père est dans le salon, occupé à écouter le hockey, alors que ma mère est dans sa salle de couture, occupée à lire un roman d'amour de Danielle Steel au titre douteux comme *Sensualité et vilebrequin* ou *Le bel homme qui sentait le cheval.*

Tous deux répondent au téléphone en même temps, et nous commençons la discussion à trois. Après deux minutes d'échanges variés et agréables, s'amorce entre eux un différend très absurde sur la couleur du chien d'un de mes neveux, différend duquel je deviens simple spectateur.

Dans les instants suivant la discussion, je note ce dialogue et je décide de le publier sur ma page Facebook, afin d'amuser mes fans. En quelques minutes, cette publication obtient des centaines de mentions et de commentaires très enthousiastes, allant de « Ils sont extraordinaires » à « Est-ce qu'on peut les emprunter pour une soirée? », en passant par « Mouhahahaha », mais surtout: « On en veut encore. »

Le monstre était créé.

Après avoir gâté la planète Facebook avec les discussions de mes parents pendant près de deux ans, j'ai décidé d'écrire un livre basé sur ces dialogues et anecdotes. Quelques-uns des échanges qui s'y trouvent ont été publiés sur Facebook, mais 90% d'entre eux vous sont offerts pour la première fois.

J'ai sollicité la contribution de tous les membres de ma famille et suis allé puiser dans leur banque d'histoires impliquant mes parents. Je me suis même amusé à imaginer des discussions que mes parents auraient eues sans aucun témoin.

Tout comme mes numéros de stand-up, ces dialogues naissent tous d'une vérité, d'une histoire vraie, d'un moment authentique et unique de vie. Et tout comme dans le stand-up, parfois la vérité est drôle en soi, souvent elle reçoit l'aide de l'auteur. Mais sans cette vérité de l'événement, du sujet abordé et, surtout, des personnages que sont mes parents, l'auteur n'aurait rien à écrire.

Jean-Paul Morency et Raymonde Mathieu, ce livre vous est dédié.

Avec amour,

François

L'ANNONCE DE LA PUBLICATION DU LIVRE

Québec, 1er juillet 2016

À la veille d'une réunion familiale soulignant les 65 ans de mariage de mes parents, je me rends chez eux pour souper, jaser et jouer aux cartes. En fait, cette visite a un but très précis : leur annoncer que je vais écrire un livre sur mes discussions avec eux au fil des ans. N'étant pas des adeptes de Facebook, ils n'ont lu aucune des nombreuses publications qui les concernent, mais ils en ont entendu parler sans trop comprendre de quoi il retourne exactement.

Ils savent que je fais des blagues à leur sujet, ce fait n'est pas nouveau. Comme pour tous les humoristes, et comme pour l'ensemble des créateurs je suppose, l'environnement familial est pour moi une source majeure d'inspiration. En vingt-cinq ans de stand-up, j'ai raconté des dizaines de gags impliquant mon père et ma mère, et puisqu'ils ont vu tous mes spectacles à plusieurs reprises, ils s'y sont habitués et sont à l'aise avec le concept.

J'éprouve cependant une certaine nervosité à l'idée de leur révéler qu'un livre les mettant en vedette sera publié. Un livre, contrairement à un spectacle, c'est un objet, ça reste, ça défie les années, ça peut être déposé en preuve devant un juge, on jure de dire la vérité en mettant sa main dessus, on peut s'en servir pour donner un coup sur la tête de son fils, etc. D'un autre côté, mon envie de publier cet ouvrage pourrait très bien se justifier par le nombre de fois où des photos gênantes de moi, jugées « cutes » par ma mère, ont été montrées à la visite sans considération pour ma fierté.

Voyons donc tout ça comme une douce vengeance – vous comprendrez en voyant la section photo.

Je ne suis pas un joueur de cartes. Je ne participe jamais à des tournois de poker, et la Dame de pique ne fait pas partie de mes temps libres d'artiste en tournée. Mais une réunion familiale des Morency, même si elle n'implique que trois de ses membres, ne peut se terminer sans une partie de *Pay Me*. C'est un jeu assez simple où on doit faire des suites et des combinaisons plus rapidement que les autres joueurs, qui doivent alors compter ce qui leur reste en main. Le but du jeu est donc d'avoir le pointage le moins élevé possible ; un peu comme avec les impôts finalement. Chacune des rondes du match se termine quand le joueur le plus rapide crie « Pay me ! », ce qui stimule les autres à laisser aller certains spasmes verbaux qui vont de « Ahhh ! » à « Encore lui ! » en passant par « Va te faire foutre ! » et « Ciboire de câlisse ! ».

En ce soir de juillet 2016, j'espère donc profiter de ce moment « de détente » pour faire ma grande annonce. Mais c'était sans compter la compétitivité et les complications possibles d'une partie de cartes avec mes géniteurs. Voici donc la discussion à laquelle mon annonce a donné lieu.

Deux choses à noter :

- Nous jouons avec un jeu de cartes acheté à Barcelone par un de mes frères. Au dos des cartes, on peut voir la photo d'un monument historique quelconque.
- Mon père domine outrageusement la partie, puisque ma mère et moi affichons déjà plus de 200 points alors que lui n'en a que 35.

MÈRE : Maudit qu'il va mal ce jeu-là !
PÈRE : Hein ?

MÈRE : Les cartes sont molles pis collantes !

PÈRE : Il vient de Barcelone.

MÈRE : Ben à Barcelone, c'est mou pis ça colle !

PÈRE : Il va très bien.

MÈRE : *(Répétant avec mépris)* « Il va très bien... »

MOI : J'vas écrire un autre livre !

PÈRE : Pay me !

MÈRE : Maudite marde !!! Moi je joue plus !

PÈRE : Pourquoi ?

MÈRE : Tu joues en salaud.

PÈRE : Je joue normal, c'est pas de ma faute si vous avez pas de jeu !

MOI : Ouain c'est ça, j'vas écrire un autre livre...

MÈRE : T'es baveux quand tu gagnes !

PÈRE : Toi aussi !

MÈRE : Je gagne jamais avec le maudit jeu de Barcelone !

PÈRE : Bon, c'est la faute de Barcelone...

MÈRE : Qu'est-ce que t'as dit, toi ?

PÈRE : J'ai dit : « Bon, c'est la faute de Barcelone... »

MÈRE : Pas toi ! Lui !

MOI : J'ai dit que j'vais écrire un autre livre.

MÈRE : Sur quoi ?

MOI : Ben, sur ce qui se passe présentement, là...

MÈRE : Un livre sur les cartes ?

PÈRE : Parle pas de Barcelone, ta mère aimera pas ça !

MOI : Anyway, elle pourra pas le lire, les pages vont être molles et collantes.

PÈRE : Ha ! ha ! ha !

MÈRE : Vous êtes pas drôles ! C'est sur quoi ton livre ?

MOI : Sur la famille, les discussions qu'on a, que vous avez...

(Court moment de silence.)

PÈRE : Bon, c't'à qui à brasser ?

MÈRE : On change de jeu !!!

LA COULEUR DU CHIEN

Voici la discussion avec laquelle tout a débuté.

À l'approche de Noël 2014, j'ai appelé mes parents afin de planifier certains trucs. Rien ne s'est réglé concernant le temps des fêtes, mais un projet de livre est né.

PÈRE : As-tu vu le chien de ton filleul ?

MOI : Non.

PÈRE : Y'est beau ! Y'est noir !

MÈRE : Ben non, y'est gris.

PÈRE : T'es certaine qu'y'est pas noir ?

MÈRE : Oui j'suis certaine, y'est gris.

PÈRE : Moi je le trouve noir.

MÈRE : T'as ben beau le trouver carreauté, y'est gris !

PÈRE : En tout cas, son museau est noir.

MÈRE : On juge pas la couleur d'un chien à partir de son nez !

PÈRE : C'est pas un nez, c'est un museau !

MÈRE : Peu importe ! Même si le museau est noir, le chien est gris pareil ! Tant qu'à ça, tous les chiens sont noirs !

PÈRE : Erreur ! Y'en a qui ont le museau rose.

MÈRE : Oui !!! Et on dit pas que c'est des chiens roses !!!

PÈRE : De toute façon, ça dépend de l'éclairage...

MÈRE : Donc, une voiture rouge, le soir elle devient noire ?!?

MOI : Ça dépend de son museau.

MÈRE : *(Soupir)* Pis toi ? Y'a-tu d'la neige à Montréal ?

MOI : Non, c'est gris.

PÈRE : Contrairement au chien de ton filleul !

MÈRE : Bon, moi j'raccroche, vous m'énervez !

LA NOURRITURE

La nourriture a toujours eu une grande importance chez mes parents. Ma mère est une excellente cuisinière, et même un repas à la bonne franquette implique, en matière de préparation, l'équivalent de quatre épisodes de Ricardo.

À l'époque de mon adolescence, lorsque mes parents partaient en voyage et que je restais seul à la maison pour une semaine en bon garçon sage, le congélateur contenait des réserves suffisantes pour nourrir une équipe de curling enfermée dans un bunker pendant un long conflit nucléaire.

Et à leur retour de voyage, on avait toujours, toujours la même discussion.

MÈRE : Coudonc, t'as mangé où pendant une semaine ?

MOI : Ici.

MÈRE : T'as mangé quoi ?

MOI : Une partie des provisions que t'avais préparées au cas où je décide de transformer la maison en entrepôt d'urgence pour les missions de l'ONU !

MÈRE : Le congélateur est encore plein !

MOI : Et voilà...

MÈRE : Regarde toutes les boulettes de steak haché qu'il a pas mangées.

PÈRE : Ben oui !

MÈRE : Ça a pas de sens !

PÈRE : Peut-être qu'il sait pas comment les faire cuire...

MÈRE : Ou peut-être qu'il comprend pas le concept du dégel...

MOI : Vous savez que j'suis ici, hein ! J'suis dans la pièce ! J'vous entends !

Cette obsession de la bouffe va encore plus loin. Étant donné que j'habite Montréal et que mes parents vivent à Québec, on se voit environ de six à sept fois par année, parfois plus, surtout si je suis en tournée et que je passe par Québec. À presque chacune de ces rencontres, ma mère me fait une remarque sur mon poids, voulant qu'il serait soit à la hausse, soit à la baisse.

Pour les amateurs de statistiques, j'ai, à cinq livres près, le même poids depuis presque vingt ans. Mais ma mère voit les choses autrement.

MÈRE : Mon Dieu que t'as maigri !

MOI : Non...

MÈRE : Ben oui, t'as maigri !

MOI : Maman, j'ai le même poids que la dernière fois.

MÈRE : Je pense pas, moi.

MOI : À t'entendre parler, j'ai la variation corporelle d'Oprah Winfrey ! Je gonfle pis je dégonfle de deux cents livres aux deux mois !

MÈRE : Bon, monsieur Exagération !

MOI : Mes habits de gala que j'ai achetés y'a douze ans me font encore, donc j'ai pas maigri !

MÈRE : Ben, y'ont dû fouler au lavage !

Ma mère a cependant un conflit avec un aliment : le ketchup. En fait, avec les quantités de ketchup que mon père et moi mettons sur certains de ses plats, comme son excellent pâté à la viande que nous garnissons toujours de quelques généreuses vagues de la sauce tomatée de monsieur Heinz.

MÈRE : Bon ! Regarde-les aller, les deux grands chefs !

PÈRE : Qu'est-ce qu'y a ?

MÈRE : Y'est-tu bon, votre ketchup au pâté à la viande ? Y'a tellement de ketchup, on voit même plus le pâté !

PÈRE : *(Tasse une strate de ketchup avec son couteau)* Regarde, y'est ici.

MÈRE : Ben oui ! Voulez-vous une paille pour manger ?

PÈRE : Non, une fourchette ça va.

MÈRE : J'sais pas pourquoi j'me force à vous faire la cuisine !

PÈRE : Y'est excellent, ton pâté, chère.

MOI : C'est vrai, ça.

MÈRE : Qu'est-ce t'en sais ? Tu goûtes juste le ketchup ! J'pourrais vous servir de la tarte à la moufette que vous verriez pas la différence !

MOI : Exact, on verrait rien parce que c'est justement du jus de tomate qu'on utilise pour enlever l'odeur de moufette !

MÈRE : Toi, quand tu laves ton auto pis qu'elle est propre, t'es fier, non ?

PÈRE : Oui…

MÈRE : Alors qu'est-ce tu dirais si j'allais mettre du ketchup sur ton auto ?

PÈRE : Je dirais que t'es bizarre.

MOI : Moi je dirais plus « folle »… avec respect.

MÈRE : Ah, laissez faire !

SPEAKiNG ENGLiSH

Ma mère ne parle pas anglais. Elle a déjà essayé. Ce ne fut pas facile.

Lors d'un voyage dans le Maine en famille, nous faisons un arrêt dans un restaurant McDonald's. Elle désire prendre un filet de poisson. En anglais, on dit : Filet-O-Fish. Sachant qu'il y aurait divertissement, nous la laissons commander elle-même.

Lorsqu'elle tente de dire « Filet-O-Fish », elle est tellement nerveuse d'avoir à parler anglais que les mots sortent de sa bouche beaucoup trop vite et beaucoup trop fort :

EMPLOYÉ : May I take your order ? *(Puis-je prendre votre commande ?)*
MÈRE : FLETOFISSSS !!!
EMPLOYÉ : What ? *(Pardon ?)*
MÈRE : FLETOFISSSS !!!
EMPLOYÉ : I'm sorry, I don't understand. *(Désolé, je ne comprends pas.)*
NEVEU : Filet-O-Fish !
EMPLOYÉ : Okay !
MÈRE : C'est ça j'ai dit ! Coudonc, y'est bouché, lui !!!

En effet, c'est pas comme s'il y avait autre chose sur le menu dont le nom se termine par « OFISSSSS ».

NOS ÉTÉS

À la maison familiale de Québec, il y avait une grande cour, et mon père avait un argument pour justifier la décision de ne pas y faire installer une piscine.

PÈRE : Si on a une piscine, on ira jamais nulle part.

MÈRE : Ce serait quand même le fun.

PÈRE : J'ai deux beaux-frères avec des piscines, mon meilleur ami a une piscine pis mon frère a un chalet avec un lac. Coudonc, ça en prend combien des places pour se baigner ?

MÈRE : C'est plaisant se baigner !

PÈRE : On est pas des canards !

MÈRE : Ce serait « notre » piscine.

PÈRE : Ben oui, on resterait ici avec notre piscine pis tout le monde resterait chez eux avec leur piscine pis personne se verrait jamais.

MÈRE : Au pire, on pourrait avoir un spa…

PÈRE : Ark !

MÈRE : On pourrait aller essayer celui d'Yvon.

PÈRE : J'irai pas me baigner dans la pisse d'Yvon !

MÈRE : Personne pisse et c'est pas une piscine, c'est un spa, on s'baigne pas.

PÈRE : Qu'essé qu'on fait d'abord ? Des tartes ? !

MÈRE : On relaxe.

PÈRE : C'est ça, t'es tellement relax que tu pisses.

MÈRE : Hier, y'ont passé une belle soirée dans le spa.

PÈRE : Tu peux pas passer une soirée sans pisser !

MÈRE : Franchement, ils mettent du chlore comme dans une piscine !

PÈRE : Me semblait que c'tait pas une piscine !!!

Bref, nous n'avions ni piscine ni spa, ce qui honnêtement faisait grandement mon affaire. Car tous les week-ends, nous allions à un endroit différent. Mon oncle Maurice était une de ces personnes possédant une piscine. Chez lui, plusieurs dizaines de belles journées d'été ont filé trop rapidement. Une piscine hors terre, circulaire, que nous allions installer chaque printemps, dans laquelle ma mère et mes tantes se baignaient avec leur casque de bain fleuri. Cet affreux bonnet, que toutes les femmes d'un certain âge portaient presque obligatoirement à l'époque même si elles ne se mettaient jamais la tête à l'eau, était tout aussi laid qu'inutile. Il est d'ailleurs rapidement disparu du marché, connaissant ainsi le même sort que d'autres articles de mode douteux au fil des siècles tels que la robe victorienne avec cage à poule, le monocle, la cape, le collier d'ail antivampire et la couronne d'épines « style Jésus ».

Une fois que j'étais ratatiné comme un chien sharpei après sept heures passées à courir en rond dans l'eau comme un déchaîné pour faire du courant, il y avait le barbecue.

Encore à ce jour, il m'est impossible de respirer l'odeur de briquettes de charbon de bois qui brûlent sans revoir clairement l'image de mon oncle manipulant le Hibachi en fonte avec son tablier « Kiss the cook », aspergeant le tout avec de l'essence pour faire monter la flamme, comme s'il était un naufragé sur une île déserte tentant d'attirer l'attention d'un avion passant au loin.

ONCLE : François ! Un bon hamburger saignant ?
MOI : OK !
FLAMME DU HIBACHI : FFFFRRRRRRRRRRRRRRR !!!
ONCLE : Oups ! Ça va être bien cuit.

En soirée, il y avait toujours un match de baseball. La piscine était partie intégrante du terrain, car si le frappeur y envoyait la balle, il était automatiquement retiré. Le jardin d'oncle Maurice, où poussaient entre autres d'excellentes framboises, délimitait la ligne du troisième but, la haie de cèdres agissait à titre de filet d'arrêt derrière le marbre, et des restants de boîtes de gâteaux Jos Louis servaient de buts. Le bâton et la balle étaient en plastique, personne n'avait de gant, et presque tous les matchs se terminaient dans le chaos avec l'arrivée de la noirceur.

Une des meilleures fins de match a vu mon oncle Fernand frapper un solide coup qui a fait atterrir la balle chez le voisin. Une telle frappe aurait normalement assuré un circuit, car tout autre joueur aurait eu trois fois le temps de faire le tour des buts. Mais Fernand, après quelques scotchs, a glissé sur la boîte de Jos Louis du premier but, ce qui l'a fait aboutir dans la poubelle verte en plastique. Encouragé par son équipe, il s'est relevé et a poursuivi sa course, a habilement contourné le deuxième but pendant que mon cousin cherchait la balle dans l'herbe haute à la faible lumière du crépuscule, avant de glisser encore une fois sur la boîte de gâteaux du troisième but, ce qui l'a envoyé directement dans les plans de framboises et leurs nombreuses épines.

FERNAND : AAAAAAH ! AAAAAHH !!! ÇA PIQUE, AAAAHHH !!!
MAURICE : Mes framboises ! Mes framboises !!!
COUSIN : J'trouve pas la balle !
ÉQUIPE : Vite mon oncle ! Vite !
TANTES SPECTATRICES : *(Hurlements de rire.)*
COUSIN : Ça compte pas, j'trouve pas la balle !!!
FERNAND : AAAAAAAAAAAHHH !
MAURICE : Mes framboises !!!

Le baseball était encore à l'honneur pendant le trajet du retour à la maison, car la radio de la voiture était branchée en permanence sur CKCV, la station AM de Québec qui diffusait les matchs des Expos, au son des voix de Jacques Doucet et Claude Raymond.

Le baseball n'est pas un sport simple à comprendre pour celui ou celle qui n'y connaît rien, et c'est encore moins clair lorsqu'on l'écoute à la radio.

L'amateur comme moi adore le rythme lent, la stratégie très complexe derrière chacun des jeux ainsi que la tension provoquée par l'absence d'images, qui force l'imagination. Mon père partageait ma passion, mais ma mère, qui ne comprenait ni le sport, ni le vocabulaire des analystes, ni les temps morts radiophoniques où l'on n'entend que l'atmosphère de la foule et encore moins notre intérêt pour ce jeu, ne se gênait pas pour remettre certaines choses en question.

RADIO : De retour au Baseball des Expos, directement de Pittsburgh.

MOI : Yé !

MÈRE : Ark !

RADIO : C'est la fin de la quatrième manche, les Pirates s'amènent au bâton.

MÈRE : Des pirates ? Pourquoi y'a des pirates ?

PÈRE : C'est le nom de l'équipe, les Pirates de Pittsburgh.

MÈRE : C'est un drôle de nom.

RADIO : *(Ambiance de foule.)*

MÈRE : Y'ont-tu une patch sur l'œil pis un perroquet sur l'épaule ?

RADIO : *(Ambiance de foule.)*

PÈRE : Ils sont pas déguisés en pirates, c'est juste leur nom.

RADIO : *(Ambiance de foule.)*

MÈRE : Pourquoi ils s'appellent les Pirates si y sont pas déguisés en pirates ?

PÈRE : Au hockey, les Canadiens de Montréal sont pas déguisés en Canadiens avec une ceinture fléchée pis un casque de poils sur la tête.

MOI : Les Pingouins de Pittsburgh sont pas déguisés en pingouins.

PÈRE : Les Nordiques sont pas déguisés en bancs de neige.

MOI : Les Sabres de Buffalo sont pas déguisés en épées.

MÈRE : OK, ça va !

RADIO : Steve Rodgers, qui est toujours au monticule pour les Expos, affronte le dangereux Dave Parker... Le lancer... À l'intérieur, balle.

MÈRE : À l'intérieur ? Ils jouent pas dehors ?

PÈRE : C'est à l'intérieur, en dehors de la zone des prises, donc c'est une balle.

MÈRE : Je le sais que c'est une balle ! Ça s'appelle le baseball, c'est sûrement pas un frisbee !

PÈRE : Y'a des balles et des prises.

MÈRE : Des prises de quoi ?

PÈRE : Après trois prises, le frappeur est retiré.

MÈRE : Retiré de quoi ? On lui retire son costume de pirate ? Je comprends rien !

PÈRE : J'vois ben ça.

RADIO : Une balle aucune prise... Le lancer... Fausse balle.

MÈRE : Fausse balle ?

RADIO : *(Ambiance de foule.)*

PÈRE : Oui, fausse balle.

RADIO : *(Ambiance de foule.)*

MÈRE : Il lance une fausse balle ? Genre il lance une pomme peinturée en blanc pour faire une blague ?

PÈRE : Fausse balle, c'est quand la balle est frappée à l'extérieur.

MÈRE : À l'intérieur ! À l'extérieur ! Coudonc c'est ben compliqué ! Ils vont pogner la grippe !!! Branchez-vous !!!

RADIO : Willie Stargell est au cercle d'attente.

MÈRE : Qu'est-ce qu'y fait là, lui ?

PÈRE : Y'attend.

MÈRE : C'est sûr ! C'est juste ça qu'on fait dans ce jeu-là, attendre !

RADIO : *(Ambiance de foule.)*

PÈRE : Y'attend son tour d'aller au bâton.

RADIO : L'offrande de Rodgers... Prise !

MÈRE : Bon, une offrande asteure, on est rendu à l'église !

RADIO : *(Ambiance de foule.)*

PÈRE : « Offrande », ça veut dire « le lancer ».

RADIO : Rodgers s'exécute... Le lancer... La balle est frappée vers le champ centre droit, Dawson s'approche... La balle touche sa mitaine mais il l'échappe.

MÈRE : Pourquoi il joue avec des mitaines ? On est en juillet !

PÈRE : Sa mitaine, c'est son gant de baseball !

MÈRE : Alors pourquoi ils disent pas « gant » ? !

RADIO : Parker se retrouve au deuxième coussin, Stargell s'amène au bâton avec un homme sur les sentiers.

MÈRE : Bon ! Des sentiers ! On est rendu en forêt !

PÈRE : Les sentiers, c'est les buts.

MÈRE : Comme des buts de hockey ? !

PÈRE : Non ! Les buts c'est les carrés blancs sur le terrain, y'en a trois. Premier but, deuxième but pis troisième but. Y'a aussi le marbre.

MÈRE : Marbre ? Comme un comptoir de cuisine ?

PÈRE : Non...

MÈRE : Pis c'est quoi le deuxième coussin ?

PÈRE : C'est le deuxième but.

MÈRE : C't'un but ou c't'un coussin ? ! ?

PÈRE : C'est la même affaire !!!

MÈRE : Non ! Un but c't'un but, pis un coussin c't'un coussin ! Sur notre lit, y'a des coussins, y'a pas des buts ! Pis y'a pas de sentier !

MOI : Mais sur votre lit, y'a assez de coussins pour faire un sentier.

MÈRE : ...

PÈRE : ...

RADIO : Lors de sa première présence, Stargell a obtenu un but sur balle en plus de voler le deuxième coussin.
MÈRE : Un but sur des balles pis il vole les coussins ?
PÈRE : Je vais fermer la radio.

Autre bonne raison pour ne pas avoir de piscine : les voyages annuels à Old Orchard. Tout ce qui impliquait un périple à Old Orchard me réjouissait au plus haut point. Quitter en voiture à 6 h du matin afin d'éviter le trafic, coordonner notre départ avec celui de mes oncles qui nous suivaient dans leurs voitures, irriter mon père en lui demandant « Pis, on arrive-tu ? » toutes les vingt minutes, et s'arrêter dans une halte routière américaine pour notre dîner composé des restants du souper de la veille. Ce souper était constitué de poulet frit PFK, ou du « P'tit Colonel » comme mon père l'appelait, car ma mère ne voulait pas avoir à cuisiner la veille du départ. Oui, je sais, manger du PFK froid dans une halte routière avec le bruit des 18 roues qui passent ne sera jamais un scénario qu'on verra dans un épisode de *Curieux Bégin*. Mais c'était pour moi, sans mentir, un moment extraordinaire. Nous étions officiellement « en vacances », et je sentais tout le monde heureux.

J'aimais bien aussi voir, et surtout entendre ma mère et mes tantes se baigner dans l'océan et hurler de surprise chaque fois qu'une vague les frappait : « Éééééiiiiipppppp ! », ce que j'ai beaucoup de difficulté à expliquer comme réaction. Mon point étant celui-ci : si tu fais la file à la caisse au Walmart, ou que tu assistes à un spectacle de danse contemporaine, ou que tu es chez toi en train de manger une fondue chinoise, et qu'une immense vague d'eau salée vient te frapper en plein visage, j'avoue que cela est très surprenant et inattendu. Un « Éééééiiiiipppppp » est alors tout à fait justifié. Mais à partir du moment où tu es sur la plage et où tu décides d'aller dans l'océan par une journée où les vagues sont fortes et nombreuses, les chances d'être heurté de plein fouet par une desdites vagues sont plutôt, comment dire, costaudes.

Mais rien ne battait nos passages aux douanes. Sans trop comprendre précisément les enjeux, je percevais clairement que quelque chose d'important s'y déroulait. Dix kilomètres avant d'y arriver, la tension montait dans le véhicule.

PÈRE : Là, dis pas de niaiseries !

MOI : OK.

PÈRE : Quand le douanier va poser des questions, tu me laisses répondre.

MÈRE : Sinon y vont nous fouiller.

MOI : Pourquoi ?

MÈRE : Pour trouver de la drogue.

MOI : On a de la drogue ? !

MÈRE ET PÈRE : NON !!!

PÈRE : Mais il faut pas qu'ils pensent qu'on en a.

MOI : Mais si on en a pas, c'est pas grave si ils fouillent !

PÈRE : Non, parce qu'on va passer deux heures à attendre pis ils vont toute défaire mon char !

MÈRE : François, peux-tu juste ne rien dire !!!

MOI : OK, OK.

Tout ce que nous avions acheté en vacances se résumait à des cotons ouatés officiels d'Old Orchard, une bouteille de gin De Kuyper de la boutique hors taxes et un ouvre-boîte en forme de patte de homard, mais mes parents se sentaient comme des narcotrafiquants colombiens avec des paquets de cocaïne strappés sur le ventre.

Par ailleurs, ma mère était terrifiée à l'idée de devoir parler anglais, donc de hurler « FLETOFISS !!! » au douanier, même si ce dernier allait sûrement nous parler en français. Son frère, mon oncle, qui avait fait l'achat de quelques souvenirs dont un coton ouaté « Lifeguard » pour sa fille, n'était pas très habile en anglais non plus, et la douane représentait pour lui aussi un stress majeur. C'est comme si tout le repos qu'il avait accumulé pendant deux semaines au bord de la mer s'évaporait à la perspective de trente secondes de questions de base. Afin de l'aider, mon père lui avait dit quoi répondre :

PÈRE : Quand il va te demander si t'as acheté des affaires aux États, t'as juste à répondre : « J'ai acheté deux trois t-shirts au duty free. »

ONCLE : J'ai acheté deux trois t-shirts au duty free !

PÈRE : C'est ça.

Oui, pour un homme comme mon oncle ne maîtrisant pas trop bien l'anglais, il aurait été beaucoup plus simple de dire « boutique hors taxes » plutôt que « duty free », mais les hommes de la génération de mon père ont grandi avec des termes anglais, indépendamment de leurs habiletés linguistiques. Mon oncle, qui a j'imagine répété sa phrase sans arrêt dans sa tête pendant les trois heures de route précédant l'arrivée à la douane, a, tout comme ma mère avec son « FLETOFISSSS », expulsé avec force le mauvais mot.

DOUANIER : Bonjour !

ONCLE : J'AI ACHETÉ DES T-SHIRTS AU NEWFIE !!!

DOUANIER : ...

Non, la voiture n'a pas été fouillée.

Certaines personnes, malgré leurs pires erreurs, ne semblent pas menaçantes pour la sécurité nationale. Le douanier a sagement décidé de choisir ses combats, et celui-là n'en valait pas la peine. Peut-être aussi n'avait-il simplement pas le temps ni l'envie de découvrir à quoi ressemble un t-shirt de Newfie.

Évidemment, tout cela s'est déroulé dans les années 1970, bien avant qu'on se questionne quotidiennement sur les risques et dangers du terrorisme. Mais je crois fermement qu'un tel incident, s'il survenait en 2017, aurait les mêmes conséquences, c'est-à-dire aucune ; à part devenir une anecdote pour un party de douaniers ou un livre d'humoriste.

LES VOITURES

MÈRE : Ton frère a une auto neuve.

MOI : Ah. Quelle marque ?

MÈRE : Celle avec les anneaux olympiques en avant.

MOI : Audi.

MÈRE : Ça se peut. Tout ce que je sais, c'est qu'il y a des ronds dessus.

MOI : En fait y'a juste quatre ronds sur une Audi, tandis que les anneaux olympiques, y'en a cinq pour les cinq continents.

MÈRE : T'en sais des choses, toi ! Comment ça se fait que t'avais d'aussi mauvaises notes à l'école ?

MOI : Parce qu'il y avait pas de cours : « Jumelez les sigles de marques de voiture avec des événements internationaux. »

MÈRE : Bla-bla-bla...

MOI : Parlant de voiture, t'es pas supposé changer la tienne ?

PÈRE : J'irai pas m'acheter un char neuf si j'suis pour plus avoir le droit de conduire !

MOI : Hein ?

PÈRE : À partir d'un certain âge, tu dois passer des examens pour garder ton permis.

MOI : Ah oui c'est vrai.

PÈRE : Faut que je m'occupe de ça, j'ai reçu mes documents de la CAQ.

MÈRE : Tu veux dire la SAQ.

PÈRE : Ben non ! La SAQ c'est l'alcool !

MÈRE : Pis la CAQ c'est l'ancien du PQ !

PÈRE : De quoi tu parles ???

MOI : C'est ni l'un ni l'autre !

MÈRE: Bon! L'expert qui a pas des bonnes notes vient de parler!

MOI: ...

MÈRE: La CAQ c'est un parti politique, c'est pas eux autres qui donnent des permis de conduire!

PÈRE: Pis la SAQ ils vendent de la boisson! J'penserais pas qu'ils te donnent ton permis de conduire en bonus avec une bouteille de gros gin en te disant: « Bonne route, le soûlon! »

MOI: Est-ce que je peux parler?

MÈRE: Attention, on va apprendre des choses!

MOI: Pour ton permis de conduire, c'est la SAAQ, la Société de l'assurance automobile du Québec.

MÈRE: C'est ça j'ai dit!

MOI: Non, t'as dit la SAQ.

PÈRE: Il te manquait un « A » avant le « Q ».

MOI: Parlant de manquer de cul, j'm'en vas faire un tour sur la Grande-Allée à soir!

PÈRE: Ha! ha! ha!

MÈRE: Bon! Me semblait ben que ça finirait de même!

L'automobile est un endroit parfait pour les échanges d'opinions corsés, et mes parents en ont largement profité au cours de leur vie. Le meilleur chemin à prendre, la vitesse, la bonne distance à laisser entre sa propre voiture et le véhicule qui précède, le bruit causé par le rythme des essuie-glaces, l'ouverture et la fermeture de la radio et des fenêtres, sommes-nous ou non « sur les hautes »... La liste de sujets de discorde potentiels est impressionnante.

Ma mère avait son propre véhicule et jouissait donc d'une autonomie de transport pour ses affaires personnelles. Mais le véhicule familial officiel, le Ford LTD, était mené par le paternel, avec conseils maternels, évidemment.

En plus de donner recommandations et directives, ma mère avait aussi son propre système de sécurité. Lorsque mon père faisait une manœuvre jugée douteuse, par exemple freiner trop tard selon les standards d'une dame de soixante ans, elle laissait aller un « Ishhhhhhh ! » tout en inspirant profondément par la bouche, ce qui donnait un son ressemblant étrangement au sifflet d'une usine indiquant la pause du dîner dans les années 1950.

Pour accompagner cette tonalité industrielle, elle plantait violemment ses pieds devant elle comme si des pédales de frein imaginaires s'y trouvaient, afin de stopper le véhicule par magie.

Et pour compléter le trio de la panique injustifiée, afin de se protéger des conséquences d'un éventuel impact majeur, de sa main droite elle agrippait le rebord de la portière ; ce qui, essentiellement, est aussi sécuritaire que se lancer en bas d'un avion avec un parachute en papier de toilette. En cas de réel accident grave, on aurait probablement retrouvé sa main sur le rebord de la porte, alors que le reste du corps aurait été éjecté par le pare-brise.

Les systèmes GPS n'existaient pas à l'époque, une des raisons qui, j'imagine, explique l'abondance des désaccords au volant dans les couples, comme ceux dont j'ai été témoin sur la banquette arrière du Ford LTD.

Maintenant que vous connaissez les « personnages » que sont mes parents lorsqu'il y a litige ou divergence, je me suis amusé à imaginer de quoi aurait l'air un GPS avec leurs voix, attitudes et personnalités.

PÈRE : C'est donc un départ pour aller au Dairy Queen du boulevard Hamel à L'Ancienne-Lorette, ce qui est un excellent choix pour manger un dessert.

MÈRE : Notez qu'il y a plusieurs autres endroits où aller manger un dessert !

PÈRE : C'est bon au Dairy Queen.

MÈRE : Moi j'aime pas ça.

PÈRE : Tu manges ta crème glacée trop vite, donc tu te gèles le front. C'est quand même pas de la faute au Dairy Queen !

MÈRE : Si j'avais d'autres choix que de la foutue crème glacée, mon front resterait chaud !

PÈRE : Bref, revenons à notre trajet.

MÈRE : C'est ça, change de sujet !

PÈRE : Prenez à droite sur la rue Holland.

MÈRE : À votre gauche, vous verrez une belle maison avec une clôture en fer forgé.

PÈRE : C'est juste du trouble, du fer forgé.

MÈRE : C'est très beau.

PÈRE : On voit ben que c'est pas toi qui le peintures. Donc, descendez la côte Saint-Sacrement et tournez à votre gauche.

MÈRE : C'est pas à droite ?

PÈRE : Non, c'est à gauche.

MÈRE : Moi j'aurais pris à droite.

PÈRE : Et on se serait perdus.

MÈRE : On aurait juste abouti à un meilleur endroit.

PÈRE : Parlant d'aboutir, ce serait l'fun qu'on arrive au Dairy Queen.

MÈRE : C'est pas de ma faute si ça prend du temps, c'est ton chemin.

PÈRE : Vous allez rouler sur le boulevard Charest Ouest pendant quelques kilomètres.

MÈRE : Pas besoin de rouler en fou, il va être encore là dans quinze minutes, le christie de Dairy Queen !

PÈRE : Tout va très bien. Bientôt vous prendrez la sortie 141 vers Boulevard Henri IV.

MÈRE : D'ici là, vous pouvez en profiter pour ajuster l'air climatisé afin que votre partenaire de trajet soit bien à son aise.

PÈRE : Sachez qu'on est bien quand c'est frais.

MÈRE : Oui, mais on est pas des revels Häagen-Dazs. C'est pas normal qu'en juillet, de la fumée nous sorte de la bouche quand on parle.

PÈRE : Dans ce cas, il faudrait peut-être parler un peu moins.

MÈRE : Déjà qu'on va se geler le front avec un banana split, pas besoin en plus d'avoir un popsicle qui nous pend au derrière !!!

PÈRE : Évidemment, si certaines personnes deviennent incohérentes dû à une supposée hypothermie, vous pouvez ajuster la température.

MÈRE : Merci, Mr Freeze.

PÈRE : Ça me fait plaisir, Reine des Neiges. Tournez à gauche sur le boulevard Hamel.

MÈRE : Y'était temps !

PÈRE : Votre destination se trouve sur votre gauche.

MÈRE : Attention l'auto en avant ! Iiiiiissssssshhhhhhhh !!!

RAYMONDE COMMENTE

Ma mère a une habitude qui m'a toujours beaucoup fait rire: elle annonce tout haut ce qu'elle va faire. Elle est la narratrice de sa propre vie.

Un exemple. Tout le monde est assis au salon à écouter la télé ou à lire, et elle déclare:

— Bon ben moi j'vas aller aux toilettes!

Alors elle se lève et quitte vers la salle de bain, et personne d'autre ne dit quoi que ce soit à ce sujet, habitués que nous sommes à ses commentaires aussi spontanés que futiles. Quand elle revient, personne ne lui demande: « Pis? Comment c'était? »

Certaines de ses annonces au fil des ans incluent notamment:

— J'pense ben que j'vais me faire un thé.

Ou encore:

— Je me demande bien s'il reste un pâté au poulet dans le congélateur.

Ainsi que:

— Cette assiette-là est ben' trop petite, j'vais en prendre une plus grande!

Sans oublier :

— Ben oui, le thermostat est à 22 !

Ces annonces peuvent être faites à tout moment de la journée, avec ou sans témoin.

C'est un peu comme si ma mère donnait des notes à son biographe afin qu'il répertorie avec précision chacune de ses allées et venues, en vue d'une éventuelle parution de ses mémoires ayant pour titre *Les événements les moins importants de ma vie*.

Je me souviens de lui avoir une fois demandé une explication. J'écoutais la télé, elle tricotait et soudainement :

MÈRE : Bon ben moi j'vas aller me mettre en robe de chambre !
MOI : Pourquoi tu me dis ça ?
MÈRE : Ben… Tout d'un coup que tu me cherches, tu vas savoir où je suis.
MOI : On est dans une maison, j'penserais pas avoir besoin d'un chien pisteur pour te trouver.
MÈRE : Faut toujours que t'analyses toute, hein ! ?
MOI : Quand y'a personne pour t'entendre, est-ce que t'appelles quelqu'un au téléphone pour lui dire : « J'pense que j'vais aller me moucher » ?
MÈRE : Bon ben moi je vais quitter cette pièce pour ne plus entendre mon fils.

Chose certaine, elle aurait été une très mauvaise criminelle. Je l'imagine en train de braquer une banque. Pendant que la caissière remplit un sac d'argent :

MÈRE: Bon ben j'vais aller à la gare d'autobus et prendre un ticket vers Chibougamau pour aller me cacher chez Sylvain Lamontagne pendant deux semaines.

Elle commentait également certaines autres choses ; mon éventuel choix de carrière, entre autres. Il m'a fallu plusieurs années avant de savoir ce que je voulais vraiment faire de ma vie. En fait, c'est à vingt-trois ans, après cinq ans de ligue universitaire d'improvisation et quelques soirées d'humour dans les bars, que tout est devenu clair.

Une fois que ce choix fut fait, mes parents ont totalement soutenu ma décision. Mais avant d'en arriver à ce point, alors que c'était le néant total dans ma tête, ma mère m'a fait quelques suggestions.

Mon père avait une quincaillerie où j'ai évidemment travaillé lorsque j'étais adolescent, tout comme l'ont fait mes frères et ma sœur. Bien que ce premier contact avec le monde du travail ait été très bénéfique car j'y ai appris, sous la supervision militaire de mon père, la rigueur du travail bien fait, il était très clair que la relève du commerce devrait passer par quelqu'un d'autre que moi. C'est après m'avoir entendu répondre comme un crétin à des clientes que mon père a saisi que ma carrière chez Rona serait de courte durée.

Dans la section « articles de cuisine » :

CLIENTE: Qu'est-ce que vous me suggérez dans les toasters ?
MOI: Du pain.

Dans la section « jardinage » :

CLIENTE : Comment on appelle ça, l'affaire qui coupe les mauvaises herbes le long d'une clôture ?
MOI : Un mari.

Les résultats n'ont pas nécessairement été meilleurs avec mes autres emplois d'été. Entre autres, en tant que préposé dans un bureau d'informations touristiques du Vieux-Québec, j'ai donné les indications routières pour le parc de La Vérendrye à un Américain qui cherchait le parc des Laurentides. Il est revenu quelques jours plus tard avec beaucoup de mouches dans le pare-brise et un peu de bave de rage sur les côtés de la bouche.

En tant que guide pour des excursions de rafting, en dirigeant volontairement l'embarcation vers les rapides les plus mouvementés, j'ai tellement fait peur à un de mes clients, un portier de bar de 6 pieds 4 pouces et 250 livres, que lors de la pause de dîner il a pleuré en demandant de faire la deuxième moitié du parcours à pied.

Bref, rien n'était clair. Le premier test d'orientation professionnelle que j'ai fait au secondaire me suggérait de devenir garde-chasse. Lorsque mes professeurs ont eu à remplir un document où ils évaluaient les perspectives de succès des élèves dans leur matière respective, ils ont tous, sans exception, écrit que pour leur domaine, mes perspectives de réussite étaient « douteuses ».

Cela étant, ma mère essayait subtilement, de temps à autre, de me faire des suggestions de choix de carrière. Comme cette fois où nous avons reçu un colis à la maison par Purolator. Après le départ du livreur, elle m'a dit :

MÈRE : Tu pourrais faire ça, toi. Ils sont bien payés ces gens-là !

Non, je n'aurais pas pu faire cela. Étant donné les stupidités que j'ai faites dans mes jobs d'été et la manière avec laquelle je répondais aux clients à la quincaillerie de mon père, voici les choses que j'aurais fort probablement dites en tant que livreur de colis :

— Je l'sais ben que c'est pas à votre nom, mais une boîte, c't'une boîte !
— Oh ! Avoir su que le paquet c'tait pour une greffe, j'me serais pas arrêté manger une crème glacée.
— Je vous ferai remarquer que sur le zipper de mes culottes, j'me suis mis un collant « Fragile ».
— Par respect pour mon ancêtre qui est le pigeon voyageur, tous les jours je fais mes besoins sur une statue.
— Pourriez-vous signer ici ? Oui oui, tout le monde signe sur mes mamelons.

Plus tard dans le livre, je reviendrai sur les choix de carrière afin de prouver, à mes parents aussi bien qu'à vous, à quel point choisir toute autre profession qu'humoriste aurait été pour moi catastrophique.

SEXE, TÉLÉ ET RELIGION

Contrairement aux jeunes générations qui, en un seul clic, ont accès à tout ce que l'humain offre de meilleur et de pire en matière de pornographie et de prouesses sexuelles, nous, les ados des années 1970 et 1980, ne pouvions compter que sur trois sources d'inspiration charnelle afin d'alimenter nos jeunes esprits fringants.

1 : Le magazine *Playboy*.

Inaccessible pour les moins de dix-huit ans, mais surtout pour les moins de six pieds, car il était stratégiquement placé sur la plus haute tablette de la tabagie ; tout pour, déjà, installer la crainte de manquer de pouces dans l'esprit du mâle en devenir.

2 : L'entourage immédiat : voisines, collègues de classe, etc.

Puisque je fréquentais le Collège des Jésuites, à l'époque une institution 100 % masculine, et que la seule femme à nous enseigner, madame Cadorette, m'inspirait davantage la terreur que la sensualité, j'étais plutôt limité. Par contre, à cinq minutes de marche de notre maison, il y avait le collège Notre-Dame-de-Bellevue, une école secondaire privée pour filles. Après l'école, plusieurs de ces superbes demoiselles en jupe carreautée et bas blancs allaient fumer en cachette dans une ruelle à l'arrière du restaurant chinois Le Jardin de litchee, que tout le monde appelait : « Le Jardin de licher ». Non pas parce que le menu du restaurant nous donnait envie de licher les ustensiles, mais simplement parce qu'on trouvait très drôle d'imaginer un restaurant situé dans un jardin où les gens se lichent. En fait, ce n'est pas tout l'monde qui disait ça, c'était simplement mes amis et moi. En fait c'était juste moi. Les autres disaient tous: « Litchee. » C'était un excellent gag pour un gars de treize ans, mais personne n'embarquait. Qu'ils aillent tous se faire foutre!

Cela étant dit, afin de me donner des raisons de passer « par hasard » devant la troupe de collégiennes friandes de nicotine, j'offrais constamment à ma mère mes services de « gars qui fait des commissions ».

MOI: Je sors, besoin de quelque chose?
MÈRE: Non.
MOI: Du lait, du pain?
NON: Non, c'est beau.
MOI: Des timbres?
MÈRE: Non.
MOI: Du shampoing à pharmacie, des kleenex?
MÈRE: Non!
MOI: T'es certaine que t'as pas besoin de kleenex?
MÈRE: Coudonc c'est quoi l'affaire? T'es gentil mais j'ai besoin de rien, à tous les jours tu sors pour m'acheter du shampoing pis des kleenex. On est prêts pour les poux pis la grippe, j'pense bien!

3: La télévision.

Encore une fois, l'époque actuelle offre une beaucoup plus grande variété de stations et, donc, de possibilités pour le jeune garçon à la recherche de divertissements vicieux, sans compter que, conformément aux mœurs de l'époque, les règles qui encadraient alors les contenus télévisuels étaient beaucoup plus sévères. Mais il était tout de même possible d'y trouver son compte.

Personnellement, mes préférées se trouvaient dans trois émissions. Il y avait d'une part les filles qui montraient les prix à *The Price is Right* avec Bob Barker. Elles étaient toutes superbes. Oui, j'avoue avoir déjà éprouvé un profond désir allant jusqu'à l'érection en voyant ces filles pointer un set de couteaux à steak ou une horloge grand-père.

À l'époque, la rumeur voulait que le frétillant Bob, derrière son long micro et ses « *Come on down !* », se tapait régulièrement certaines de ces belles madames. Il faut aussi noter que Bob terminait chacune des émissions en incitant les téléspectateurs à faire castrer leurs animaux domestiques pour éviter la surpopulation. Ce qui faisait dire à ma mère :

— Le cochon devrait commencer par surveiller ses mains avant de nous dire de couper le pénis à nos chats !!!

Catherine Bach, qui interprétait le personnage de Daisy Duke dans la série *The Dukes of Hazard*, et ses jambes ont également généré plusieurs fantasmes dans ma petite tête.

Mais c'est Lindsay Wagner, la Femme bionique, qui m'a amené vers la débauche pour la première fois.

Précisons ici que ma mère, tout comme mon père et plusieurs Québécois de leur âge, est catholique, croyante et pratiquante. Mes parents n'ont jamais embêté qui que ce soit avec leurs croyances religieuses, mais ma mère, surtout, a souvent évoqué certains principes chrétiens afin de nous ramener dans le droit chemin de la morale.

Si, par exemple, à l'heure du souper, il nous arrivait à mes frères, ma sœur ou moi de faire des blagues méchantes sur quelqu'un, ma

Comment ne pas être heureux avec une orangeade de la marque C'est si bon?

Un homme et son La-Z-Boy. Insipiration directe de la série *Mad Men*.

Chez oncle Maurice. Mon flotteur gonflé dans le dos, mon GI-Joe en tenue de plongée à la main et ma cousine en *lifeguard :* tout est parfait.

Le voici, l'inventeur du paraplotte !

Oui, dans mon temps, on jouait parfois dehors. Les bas et le chandail n'allaient pas ensemble, j'avais un protège-mâchoire, mais aucune protection pour les yeux. Quelques minutes après cette photo, mon père m'apprenait les mystères de la vie sur le chemin du retour.

Avec mon cousin Luc à Old Orchard, avec tout le prestige de l'arrière d'une *station wagon*.

Voici le fameux habit brique. Ou si vous préférez, rouille, de Mazda 1976.

Comme tous les grands champions de l'histoire du baseball : assis confortablement sur un calorifère et devant un rideau ayant servi de robe à Janis Joplin.

C’est sur ce sofa, probablement avec ce même air confus, que mon frère m’a surpris en plein party avec une demoiselle et trois chats.

Le confessionnal. Lieu de confidences et de faces de clowns.

– François, est-ce que tu joues au hasard?
– En effet, quand je joue au golf, tous mes bons coups sont le fruit du hasard.

Cette photo a été prise en juillet 2015 lors de leur 65e anniversaire de mariage. Voici la discussion qui a précédé:
– MOI: OK, on va prendre un selfie.
– PÈRE: Un quoi??
– MOI: Un selfie. Faites juste regarder le téléphone.
– MÈRE: Où ça un téléphone?
Clic.

Au 60e anniversaire de mariage.
Tentative 1 : OK, enlacez vos bras et prenez une gorgée en même temps.

Tentative 2 : OK, enlacez vos bras et prenez une gorgée en même temps !!

Tentative 3 : OK, enlacez vos bras, mais laissez faire la gorgée.

mère nous ramenait à l'ordre. Comme cette fois où on parlait d'une cliente difficile de la quincaillerie de mon père, constamment insatisfaite :

FRÈRE : « L'agréable dame » est encore venue se plaindre aujourd'hui.
MOI : Elle est aussi agréable que de chier un porc-épic !
TOUT LE MONDE SAUF MA MÈRE : Ha ! ha ! ha !!!
MÈRE : Eille ! Charité chrétienne ! On rit pas des gens dans leur dos !
FRÈRE : Faqu'on l'invite souper demain pour rire dans sa face ?
MÈRE : Suffit ! Mangez !

On se doute donc que ma mère n'a jamais été une grande fan du libertinage, du laisser-aller des valeurs et de l'exposition de la sexualité en général, même dans sa forme la plus propre. En fait, c'est un sujet qu'elle ne souhaitait pas du tout aborder.

Un soir, j'étais devant la télé avec elle. Ce soir-là, elle n'a pas eu le choix de le faire. Après *Un homme et son péché*, elle a connu *Un ado et son pénis.*

Je donnais toute mon attention à la Femme bionique et à ses prouesses. Sur le sofa d'à côté, ma mère, qui porte autant d'intérêt à la science-fiction qu'une girafe en porte aux concours de limbo, lisait un roman de Danielle Steel, possiblement *La Princesse et la banane* ou *Le séducteur sans hygiène.*

Je ne sais plus ce que Lindsay Wagner a dit ou fait de précis dans l'épisode, mais ce fut le coup de foudre. J'étais un ado fougueux et je la voulais. Là. J'ai donc profité d'une pause publicitaire pour aller dans ma chambre afin de me satisfaire. Trois minutes était tout ce dont j'avais besoin pour m'exécuter et revenir hypocritement m'asseoir au salon, juste à temps pour la suite de ce beau programme.

Les charmes de Lindsay étaient visiblement tout aussi puissants dans le deuxième bloc de l'émission que durant le premier, car, à la pause suivante, je suis retourné dans ma chambre pour une deuxième passe de plaisir.

Ma mère, qui n'avait même pas levé le regard la première fois, m'a cette fois accueilli à mon retour avec un œil inquisiteur.

MÈRE : Ça va ?
MOI : Oui.

Il ne faut jamais sous-estimer la facilité avec laquelle une mère voit à travers ses enfants. J'aurais dû me douter que je cachais aussi bien mon jeu qu'un manchot qui joue au poker. Mais, n'écoutant que ma testostérone, j'ai profité de la pause suivante pour compléter le tour du chapeau de l'auto-satisfaction. Pimpant gaillard, dites-vous ?

À mon retour de ce troisième frottage de lanterne, en partie parce que mon avant-bras droit était aussi contracté et veineux que celui d'un champion de tir au poignet après un concours international, ma mère a nettement délaissé Danielle Steel pour se concentrer sur François Béton.

Mais ce n'était pas terminé. *La femme bionique* était une émission d'une heure, il restait donc un autre bloc de Lindsay en action et, oui, avec la subtilité d'un troupeau de caribous entrant dans un magasin de bibelots, je me suis levé pour la quatrième fois afin d'étirer l'élastique au maximum de sa capacité.

Ma mère, qui avait depuis longtemps tout compris, aurait très bien pu entrer dans la chambre, me surprendre en flagrant délit de tendresse et ainsi m'humilier pour la vie. Elle a plutôt sagement attendu le retour de l'homme aux poignets de Popeye. Dans toute ma naïveté, je continuais de regarder la télé, ignorant la tension ambiante, demeurant concentré sur l'écran comme un singe regardant le Canal Banane.

MÈRE : As-tu fini ?
MOI : Quoi ?
MÈRE : Qu'est-ce t'es allé faire dans ta chambre ?
MOI : Rien.
MÈRE : T'es allé quatre fois « ne rien faire » pendant les pubs ?
MOI : C'est plate les pubs.
MÈRE : J'comprends maintenant pourquoi à tous les jours tu m'offres d'aller acheter des kleenex !
MOI : De quoi tu parles ?
MÈRE : Prends-moi pas pour une niaiseuse !!!
MOI : Euh... Ben...

Je ne savais quoi répliquer. Je n'avais aucun argument et, surtout, plus une goutte de sang dans le cerveau.

MÈRE : Tu sauras qu'à toutes les fois que tu te masturbes, Dieu enlève une journée à ta vie !

Si c'est le cas, techniquement, je suis mort depuis sept ans.

BIEN PARAÎTRE

Conversation anodine en prévision du mariage d'un de mes neveux.

PÈRE : Faqu'on se voit au mariage de Nancy et Charles-Antoine la semaine prochaine ?

MOI : Oui !

PÈRE : Nancy va faire une belle mariée !

MÈRE : C'est toujours beau, une mariée.

PÈRE : Non. Celles qu'on voit qui tombent le derrière dans le gâteau à *Drôles de vidéos* sont pas belles.

MOI : *Drôles de vidéos* est encore en ondes ?

MÈRE : C'est pas parce que tu t'enfarges que t'es pas belle !

PÈRE : Je me suis souvent enfargé dans ma vie, mais j'suis jamais tombé le derrière dans un gâteau.

MÈRE : T'essayeras voir de marcher avec une robe de mariée !

MOI : Je paye la robe !!!

Il faut préciser que mes parents prennent bien soin de leur apparence. Presque tous les samedis matin, ma mère va se faire coiffer, c'est sa gâterie de la semaine. Mon père va la reconduire en voiture et la chercher ensuite, parfois il l'attend sur place.

J'arrive chez eux en fin d'après-midi.

MOI : Es-tu allée te faire coiffer ce matin ?

MÈRE : Oui. Ma coiffeuse est en vacances donc j'ai eu un homme, Simo.

PÈRE : Y'est musulman. Y'est ben smatt.

MÈRE : Il fait le mois sans manger.

MOI : Le ramadan.

MÈRE : Oui.

MOI : Ils mangent le soir.

MÈRE : Je sais pas, moi j'y vais le matin.

MOI : ...

MÈRE : Il me fait tellement des beaux massages de tête.

PÈRE : Qu'essé, il te masse la tête ?

MÈRE : Quand il me lave les cheveux, il me fait un massage.

PÈRE : Tu veux dire, il te frotte pour te laver...

MÈRE : Oui, mais en plus il me gratte.

PÈRE : Si la tête te pique, change de shampoing !

MÈRE : La tête me pique pas, mais ça fait du bien de se faire gratter pis masser !

PÈRE : Moi j'me gratte tout seul !

MÈRE : Ben c'est ça ! Gratte-toi !

LES TRAVAUX MANUELS

À la maison familiale de Québec, nous avions un genre d'abri Tempo. Je dis « genre », car au lieu d'être une toile en plastique léger, le nôtre était fait d'un lourd nylon vert à l'allure de tente militaire. Une longue tente ; elle abritait deux voitures ainsi que la souffleuse. Il fallait donc l'installer chaque automne et le démonter chaque printemps, et cette lourde tâche mince en plaisir constituait un double rendez-vous annuel pour mon père et moi.

Clouer les madriers dans l'asphalte, installer les montants à bonne distance les uns des autres, mettre la toile et clouer les rebords sous des planches de bois afin que le tout ne s'envole pas en cas de tempête, installer la porte avant ainsi que le faux fond derrière lequel était caché la souffleuse, barrée avec une chaîne elle-même soudée à une barre de métal de deux pieds clouée dans l'asphalte. Oui, il aurait fallu un ouragan de force 5 combiné à une attaque de Martiens et au passage de King Kong pour espérer faire bouger cette structure. Et pourtant, malgré son évidente indestructibilité, à chaque tempête de neige, mon père regardait son abri avec l'inquiétude d'un gars portant une nouvelle perruque qui se fait péter sur la tête par un éléphant.

Le processus d'installation occupait presque une journée complète, pimentée de directives chirurgicales venant de mon père.

Dans un premier temps, il fallait sortir tout le matériel du sous-sol, ce qui n'était pas simple car entre chaque « voyage », il insistait pour que je ferme la porte extérieure, afin d'éviter que les écureuils y entrent. Oui, les écureuils. Pas les feuilles mortes ni les pigeons, ni les ratons laveurs, ni un gars avec un masque de gardien de but et une machette ensanglantée, ni même un agent d'assurances; parmi tous les intrus potentiels, ce sont les écureuils qui le rendaient nerveux.

Évidemment, en bon adolescent rebelle, je remettais tout en question, un peu comme je le fais encore maintenant d'ailleurs.

PÈRE : Ferme la porte ! Les écureuils !
MOI : Quels écureuils ?
PÈRE : Ben, les écureuils vont rentrer dans' maison !
MOI : Pourquoi ? Pour voler la tv ? ! Refermer la porte à chaque fois, ça va me prendre le double de temps !
PÈRE : Pas grave ! Y'a des reportages là-dessus, quand les écureuils rentrent dans la maison ils ressortent plus pis t'es pogné avec !
MOI : Qu'essé, ils sont Témoins de Jéhovah ? ! ?

À la défense de mon père, il faut préciser que je n'ai jamais été le plus habile de mes mains, ce qui fait qu'on devait vraiment me superviser. Dans ce genre de travaux, j'étais autant à ma place qu'un nain en raquettes dans un tournoi de volleyball de plage.

Mon père a toujours été très ferme sur la précision du travail à accomplir. Toutes les tâches qu'il me confiait – laver la voiture, tondre le gazon, repeindre la clôture, etc. – devaient être effectuées avec grande minutie. Lorsqu'il était question de pelleter la neige, je devais presque attraper les flocons avec ma pelle avant qu'ils ne tombent dans l'entrée. Autant tout cela me rendait fou à l'époque, autant cette rigueur me sert très bien aujourd'hui dans mon métier et dans la vie générale, et je ne remercierai jamais assez mon père de m'avoir ainsi formé. Mais il a très vite constaté que je ne serais pas celui qui prendrait la relève de son commerce et que si, par malheur, je me dirigeais vers un métier comme plombier, on pourrait m'entendre dire des choses comme :

— Je t'ai arrangé tes robinets ; à gauche c'est de la moutarde, à droite c'est du ketchup.

Ou encore :

— Tout est beau en bas ; t'as un superbe sous-sol à vagues !

Mon père a vendu sa quincaillerie alors que j'étais au cégep. Je perdais ainsi ma job d'été, mais il m'a dit qu'un de ses amis recherchait des étudiants pour un travail estival bien payé, à l'extérieur. La combinaison de « bon salaire + travailler dehors l'été » me plaisait énormément, alors j'ai dit oui sans trop savoir.

Au retour de ma première journée de travail :

PÈRE : Pis, qu'est-ce tu fais ?
MOI : Inspecteur du réseau d'égouts de la ville de Québec.
PÈRE : Qu'est-ce que ça veut dire ?
MOI : Ça veut dire que je vais passer l'été à descendre dans les égouts de la ville pour les inspecter.
PÈRE : Donc c'est pas si « extérieur » que ça comme job ! Ha ! ha ! ha !
MOI : ...
PÈRE : C'est juste pour deux mois.

LES GALAS

Jusqu'à maintenant dans ma carrière, j'ai eu la chance d'animer plus d'une quinzaine de galas. Lorsque, en 1998, on m'a confié mon premier gala Juste pour rire, j'ai immédiatement eu l'idée d'y inviter mes parents. Mon père, même s'il était très fier de moi, avait un important souci.

MOI : J'vais animer un gala Juste pour rire !

PÈRE : Bravo !

MOI : J'vous offre deux billets !

PÈRE : C'est où ça ?

MOI : À Montréal, au Théâtre St-Denis.

PÈRE : Ah… Y'a jamais de parking dans ce coin-là…

Il a tout de même réussi à passer par-dessus la complexe gestion du stationnement, car il a assisté au gala Artis que j'ai animé de 2008 à 2010. Cependant, d'autres dossiers avaient dû être réglés avant que mon père accepte officiellement l'invitation.

PÈRE : Est-ce qu'il faut s'habiller chic ?

MOI : Ben un peu, oui, c'est un gala.

PÈRE : J'sais pas si j'vas m'acheter un nouveau complet.

MÈRE : Tu pourrais remettre celui que t'avais à Noël.

PÈRE : Ouain, ça dérange pas, hein ?

MOI : Non. T'as sûrement pas brûlé ton look en le portant une fois au réveillon.

MÈRE : Ça passe-tu à la tv ça ?

MOI : Oui, c'est le gala de la tv…

MÈRE: J'veux pas passer à la tv, moi là !

MOI: C'est moi qui anime, maman, c'est pas toi.

MÈRE: Oui mais la caméra va dans la foule des fois.

MOI: Des fois.

MÈRE: Ben j'veux pas passer à la tv !

MOI: Coudonc, es-tu recherchée par la police ?

MÈRE: Non mais j'veux pas passer à la tv.

MOI: C'est sûr que si tu portes un décolleté plongeant, ça va attirer les caméramans.

PÈRE: Ha ! ha ! ha !

MÈRE: Franchement !

PÈRE: Là que j'te voie pas mâcher d'la gomme !

MOI: Hein ?

PÈRE: Ça m'enrage quand j'vois du monde qui mâche d'la gomme dans les galas !

MÈRE: Moi aussi !

MOI: OK...

PÈRE: C't'un gala, c'pas une game de baseball !

MOI: Bon point.

PÈRE: Moi si tu me dis : « Mâche pas de gomme », j'en mâcherai pas !!!

MÈRE: Veux-tu ben m'dire pourquoi le monde mâche de la gomme dans les galas ?

MOI: C'est peut-être des fumeurs qui doivent se retenir de fumer pendant trois heures, donc ils mâchent pour compenser.

MÈRE: Pour compenser quoi ?

MOI: Ben, il faut qu'ils occupent leur bouche !

PÈRE: Occuper leur bouche ?

MÈRE: C't'une bouche, c'est pas un enfant de deux ans !

PÈRE: Au pire occupe-la en sifflant, ta bouche !

MOI: Ben oui ! J'vas animer un gala pendant que le monde siffle... Bonne idée !

L'INQUIÉTUDE PARENTALE

Être parent est une grosse job. Une job pleine de bonheurs et de belles surprises, mais une job quand même. Cependant, ce n'est pas un emploi, du moins pas en termes techniques. Contrairement à un emploi, on n'a pas à soumettre son C.V. ni à passer à travers un long processus d'entrevues, et encore moins à prouver ses compétences avant d'avoir accès à l'état de parent. Mais si c'était le cas, le premier article de la description de tâches officielle du parent serait : s'inquiéter.

S'inquiéter pour la santé et le bien-être du petit, pour son avenir, pour qu'il ne manque de rien, etc. Et cette inquiétude ne disparaît jamais totalement, ni même en partie je crois.

Du moins, c'est la conclusion que j'en tire. Je suis au début de la cinquantaine, et mes parents ont encore parfois les mêmes inquiétudes qu'à l'époque où je jouais pee-wee et où courir avec des ciseaux ou se baigner dans deux pieds d'eau sans avoir attendu le 60 minutes réglementaire après avoir mangé étaient considérés comme une tentative de suicide.

Je me suis fait opérer à l'épaule en 1995, et jusqu'en 2007, j'ai dû faire des rapports réguliers sur l'état de mon articulation à chacune de nos discussions.

À ce jour, si par malheur j'éternue devant ma mère, il est presque assuré que deux mois plus tard elle me demandera, sur un ton empreint d'inquiétude :

— Pis, ta grippe ?!?

Un jour, je suis arrivé à la maison familiale alors que mes parents n'y étaient pas. À cette époque, j'étais à la mi-trentaine. Je pouvais déjà à cet âge, je crois, me débrouiller facilement seul dans une maison. En fait, je vous le confirme : j'habitais seul depuis une dizaine d'années et tout se déroulait bien ; je n'étais pas mort de soif, et rien dans mon appartement n'avait jamais explosé.

Mais ce n'est pas ce qu'ils croyaient, visiblement. À mon arrivée chez eux, je constate qu'ils ont laissé sur la table un mot avec des indications très, très précises. J'ai alors l'impression qu'ils présument que je souffre d'un grave retard d'apprentissage.

Voici le mot en question avec, en prime, ce qu'ils supposaient que serait ma réaction à la lecture de leurs instructions.

MOT : Bonsoir François. Nous sommes présentement absents.
MOI : HEIN ?!? MAIS VOUS ÊTES OÙ ?!?
MOT : Nous sommes chez ton oncle Paul.
MOI : POUQUOI ?!?!?
MOT : Nous jouons aux cartes.
MOI : VAIS-JE VOUS REVOIR UN JOUR ???
MOT : Nous serons de retour plus tard.
MOI : QUAND ? QUAND ???
MOT : Aux environs de 9 h 30.
MOI : CE SOIR OU DEMAIN MATIN ?!!!
MOT : En attendant, si tu as soif…
MOI : JE SUIS TOTALEMENT DÉSHYDRATÉ !!! QUE FAIRE ??? JE FOUILLE DANS L'ARMOIRE À BALAIS ET JE NE TROUVE RIEN !!!
MOT : … il y a du jus dans le frigidaire.
MOI : OÙ ÇA ! ?

MOT : Il est dans la porte.

MOI : TU PARLES D'UN ENDROIT BIZARRE POUR CACHER SON JUS ! C'EST UNE VÉRITABLE CHASSE AU TRÉSOR !!!

MOT : Si tu as faim...

MOI : EST-CE QUE JE DOIS ALLER CHASSER ??!?!

MOT : ... il y a des biscuits...

MOI : OÙ ?!?!?

MOT : ... dans l'armoire à biscuits.

MOT : BEN VOYONS !!! ÇA VA ME PRENDRE UNE BOUSSOLE POUR LES TROUVER !!! JE NE SUIS PAS UN GRAND EXPLORATEUR !!!

MOT : Tu peux aussi regarder la télévision et lire le journal.

MOI : LES DEUX EN MÊME TEMPS ? !! MAIS JE NE SUIS PAS UNE PIEUVRE NI UN MAGICIEN !

MOT : À tantôt.

MOI : AAAAAAAAAAAAAAHH !!!!!

Une des plus grandes inquiétudes de mon père a toujours été les voleurs. Depuis ma tendre enfance, lorsqu'on quitte la maison, ne serait-ce que pour une heure, toutes les portes et fenêtres sont barrées, le système d'alarme est activé, et comme il est décrit dans la discussion suivante, mon père ajoute en complément un niveau supplémentaire d'inventivité afin de déjouer les brigands potentiels.

À son crédit, je dois avouer que jamais aucun cambriolage n'a été perpétré chez les Morency. Du moins, pas dans la maison. Je me suis déjà fait dérober un vélo qui était dans la cour, sous la galerie... pas barré. Oui. Je l'avoue aujourd'hui. À l'époque, j'avais juré à mon père que j'avais mis mon cadenas, car j'étais pleinement conscient qu'avouer ma faute aurait entraîné l'obligation de subir un séminaire de soixante heures ayant pour titre : *Pillages et larcins à travers le monde.*

J'admets donc aujourd'hui mon mensonge. Presque quarante ans plus tard.

Que Dieu me protège.

Revenons à la discussion. J'arrive chez mes parents un weekend du début novembre, quelques jours à peine après l'Halloween. Mon père dépose sur la table un bol rempli de mini Kit Kat.

PÈRE : Tiens ! Des mini Kit Kat.

MOI : OK...

PÈRE : C'est des restants d'Halloween, les enfants sont pas passés cette année.

MÈRE : Même s'ils passent, avec tes quarante-trois serrures, le temps que t'ouvres la porte on est rendu à Pâques !

MOI : Bon timing pour le chocolat !

MÈRE : Toi, mange des Kit Kat.

MOI : J'ai pas faim.

PÈRE : C'est mini !

MOI : Ben j'ai pas mini-faim !

MÈRE : Avec Joe Barrure ici présent, y'a pas moyen d'aller au dépanneur sans mettre le système d'alarme pis toute barrer !

PÈRE : Bon...

MÈRE : Quand on part, sur la table il laisse un journal ouvert avec un verre d'eau.

MOI : Pourquoi ?

MÈRE : Pour faire croire qu'y'a quelqu'un dans la maison si un voleur regarde par la fenêtre !!!

PÈRE : Et ça marche !

MÈRE : Faque notre « ami imaginaire » lit le journal, mais il change jamais de page !

PÈRE : Il fait le mot mystère, ça prend du temps.

MÈRE : Pis il le boit jamais, son verre d'eau ?

PÈRE : En tout cas, on s'est jamais fait voler !

MÈRE : Ben oui ! Y'est à la veille de se barrer l'dos pour pas se le faire voler !

MOI : Excellent !... J'm'en vas sur Facebook !

MÈRE : Face-quoi ?

MOI : Rien...

LE COACH DE BASEBALL

J'ai beaucoup joué au baseball. C'est, encore aujourd'hui, mon sport préféré avec le hockey. Être à l'extérieur, en été, avec l'odeur de l'herbe, c'est extraordinaire.

Évidemment, nos terrains de l'époque n'étaient pas couverts d'herbe ; on jouait sur des terrains 100 % gravier. Et ce n'était pas le gravier le plus fin. Appelons ça de la roche svelte, ou du restant de mines d'Abitibi.

En tant que joueur de troisième but, je ne pourrais compter le nombre de balles roulantes que je croyais attraper facilement, mais qui ont finalement abouti dans ma face après avoir frappé une de ces pierres non précieuses. Et voler un but était une aventure risquée ; glisser sur cette surface de garnotte avait le même effet qu'un traitement d'acupuncture avec un gun à clous.

Lorsque j'avais dix ans, mon entraîneur de baseball s'est fait prendre dans une ruelle, à faire des attouchements à un de mes coéquipiers. Mon père, comme tout bon parent, était pourpre de colère et m'a immédiatement demandé si quelque chose de semblable m'était arrivé.

L'époque de mon enfance était différente de l'époque actuelle, à plusieurs égards. Je suppose que les crimes de la sorte étaient tout aussi fréquents qu'aujourd'hui, mais l'absence d'Internet nous gardait naïfs un peu plus longtemps, ce qui fait que les discussions sur des sujets semblables, qui ne sont jamais simples de toute façon, l'étaient encore moins.

Cette discussion s'est déroulée là où toutes les choses importantes se disaient: dans la cuisine, assis sur un coin du comptoir, cet endroit qu'on appelait «le Confessionnal». Tous les enfants de la famille y passaient à l'occasion, et ce, peu importe leur âge. C'est là que les vraies affaires se disaient, qu'elles soient exprimées clairement ou non.

PÈRE: Pis, comment ça se passe ces temps-ci?
MOI: Bien.
PÈRE: Pis le baseball, ça va bien aussi?
MOI: Oui.
PÈRE: Pis ton coach?
MOI: Quoi mon coach?
PÈRE: Y'arrive rien de spécial avec lui?
MOI: Non.
MÈRE: T'es certain?
MOI: Oui.
MÈRE: OK.
MOI: OK.
PÈRE: Il t'a pas fait des avances?
MOI: C'est quoi des avances?
PÈRE: Des propositions.
MOI: Comme quoi?
PÈRE: J'le sais pas... Il t'a pas demandé de le toucher?
MOI: Hein???
MÈRE: Lui, il t'a pas touché?
MOI: Pourquoi il me toucherait???
PÈRE: Pour s'amuser.
MOI: Comme jouer à la tag, tu veux dire?
PÈRE: Non... Ton coach s'est fait prendre dans la ruelle avec le p'tit Lupien.

MÈRE : Par la police.

MOI : Je comprends rien de ce que vous me dites.

PÈRE : Ben oui, j'vois ben ça...

MÈRE : Écoute, si jamais un monsieur veut te toucher, tu dis non pis tu pars à courir.

MOI : Dans la ruelle ?

PÈRE : Peu importe t'es où ! Tu pars à courir pour te sauver pis tu demandes de l'aide à un adulte !

MOI : Pis si cet adulte-là veut me toucher aussi ?

MÈRE : Jean-Paul, tu le mélanges !!!

PÈRE : Je le mélange pas, j'y explique !

MÈRE : Ce que ton père essaye de dire, c'est de jamais te laisser toucher par des monsieurs bizarres que tu connais pas.

PÈRE : Même les monsieurs bizarres que tu connais, tu les laisses pas te toucher.

MOI : Quels monsieurs bizarres veulent me toucher ? Pourquoi ?

MÈRE : Personne veut te toucher !

PÈRE : Ça on l'sait pas ! Justement !

MÈRE : Tu vas encore le mélanger !

PÈRE : Y'a sûrement des monsieurs bizarres qui veulent te toucher, mais on sait pas c'est qui, si on l'savait on te le dirait, mais on l'sait pas, faque c'qu'on te dit ce soir, c'est de pas te laisser toucher par des monsieurs bizarres.

MÈRE : Ni par des madames bizarres, tant qu'à ça !

PÈRE : Et si y'en a qui essayent, tu viens nous voir pour nous le dire c'est qui !

MÈRE : OK ?

MOI : Présentement, c'est vous autres que je trouve bizarres !!!

LES BREFS ÉCHANGES, PREMIÈRE PARTIE

1- J'ai vingt ans et je pars avec l'université pour un voyage au Mexique.

MÈRE : Et surtout, bois pas d'eau ! Même l'eau en bouteille !
MOI : Pourquoi ?
MÈRE : Dans les pays chauds, c'est pas prudent de boire de l'eau.
MOI : Ben oui. C'est beaucoup plus prudent de risquer de mourir de soif !

2- Ma mère est en attente pour une opération au genou.

MOI : Pis c'est pour quand ?
MÈRE : Je suis 87e sur la liste d'attente.
MOI : Ça irait plus vite si j'étudiais en médecine pour t'opérer moi-même !

3- Tard en soirée, le dimanche de la fête des Mères.

MOI : Êtes-vous allés souper au restaurant ?
MÈRE : Non, il pleuvait, on ira la semaine prochaine.
MOI : Ce sera plus la fête des Mères.
MÈRE : Tant mieux, y va y avoir moins de monde !

4- À l'approche du Gala Les Olivier, que j'animais, j'étais un peu partout.

MÈRE : On t'a vu sur la circulaire TVA.
MOI : Tu veux dire le *TV Hebdo ?*
MÈRE : Peu importe.

5- C'est mon anniversaire. Mon téléphone sonne.

MOI : Oui allô !
PÈRE : Bonne fête mon fils !
MOI : Merci p'pa !
(Silence.)
PÈRE : Je te passe ta mère.
MOI : Cool !

6- C'est la fête des Pères, j'appelle mon père.

MOI : Bonne fête des Pères !
PÈRE : Ah… merci… Mais c'est pas une grosse affaire.
MOI : Oui. Quand t'as eu un bon père, c'est une grosse affaire.
(Silence.)
MOI : Merci d'avoir été sévère quand c'était le temps et de m'avoir gardé « sur la coche ».
(Silence.)
PÈRE : Je te passe ta mère.

Certains silences sont puissants.

7- La lecture de ce livre pourrait vous amener à considérer mes parents comme en dehors de la norme. Mais après un certain temps, tous les couples en arrivent à se parler à peu près sur le même ton. J'en fus témoin alors que j'attendais au bureau des passeports et que deux personnes d'un certain âge, assises près de moi, eurent l'échange suivant :

FEMME : Ils sont rendus au numéro C-067, t'as quel numéro ?
HOMME : B-990.
FEMME : T'as manqué ton tour !!!
HOMME : Ben voyons, on vient d'arriver !
FEMME : T'es tellement distrait !
HOMME : Y'ont pas eu le temps de passer soixante-dix-sept personnes en deux minutes !!!
FEMME : Avec les ordinateurs ça va vite !
HOMME : Ça a pas de sens !
FEMME : Là qu'est-ce qu'on fait ? Est-ce qu'on revient demain ?

C'est alors que j'interviens :

MOI : Vous êtes corrects. Y'a différentes lettres, c'est normal, y'a quarante-cinq minutes d'attente.
HOMME : C'est ça j'y disais !
FEMME : Y'est tellement distrait !

8- Garder les enfants de ses frères est un entraînement pour quand on aura les siens. J'ai ici échoué au test.

NEVEU : J'veux de la crème glacée !
MOI : OK, mais avant, il faut manger tes légumes !
NEVEU : Pourquoi ?
MOI : Parce que c'est bon pour toi.

NEVEU : Pourquoi ?

MOI : Parce que c'est plein de vitamines et c'est important pour les petits mousses.

NEVEU : Pourquoi ?

MOI : Parce qu'il faut grandir en santé !

NEVEU : Pourquoi ?

MOI : Parce que quand t'es malade, tu fais la file à l'urgence pendant vingt-sept heures.

NEVEU : Pourquoi ?

MOI : Faque ta crème glacée, vanille ou chocolat ?

9- Nous passons une journée d'été chez un ami de mon père qui a une piscine. Un de mes neveux, alors âgé de quatre ans, est dans l'eau avec ses petits flotteurs sur les bras.

PÈRE : Tu gardes un œil sur ton neveu, hein !

MOI : Oui, mais on pourrait aussi gonfler ses petits flotteurs à l'hélium. Ça serait sécuritaire. Ça se peut qu'il se mette à voler et que l'expression « nager le papillon » prenne tout son sens.

PÈRE : Comment ça se fait qu'il pense bizarre de même, lui ?

MÈRE : Moi j'ai abandonné.

LE TRAITEMENT SINGER

Cette expression, « le traitement Singer », est un classique dans ma famille. Voici pourquoi.

Dans les années 1980, un de mes frères a offert à son épouse une machine à coudre car elle souhaitait se mettre à la couture par plaisir. À la suite des recommandations de ma mère, il lui a acheté une machine de marque Singer. Je ne sais pas quel était le numéro du modèle et encore moins quelles innovations ou options étaient incluses, mais c'était à l'époque le « top of the line ». Je suppose qu'on y trouvait des phares au xénon, des aiguilles chauffantes ainsi qu'un odomètre permettant de calculer combien de centaines de coussins décoratifs avaient été brodés avec la machine dans le dernier mois.

En fait, cette machine était tellement innovatrice pour son époque qu'à l'achat, la compagnie Singer offrait à l'acheteuse une formation de deux heures lui permettant de bien comprendre son nouveau bolide et de le maîtriser sans se coudre la main dans un rebord de pantalon.

C'est du moins ce que ma mère, ayant la même machine, avait juré à mon frère, qui écouta les conseils de la Jedi du tissu. Ma belle-sœur s'est donc pointée au magasin pour apprendre les rudiments de la piqûre textile. Cependant, au lieu du stage de deux heures promis, elle a plutôt eu droit à un vingt minutes de n'importe quoi garroché par un vendeur blasé, et la machine est demeurée dans sa boîte pour plusieurs semaines, pendant que ma mère était hors d'elle à temps plein.

Peu de temps après, mes parents sont allés faire un tour à Expo Québec, une exposition agricole et commerciale avec manèges, jeux et autres distractions variées où j'adorais aller, entre autres, pour gagner des toutous avec le jeu du fusil à l'eau dans la bouche du clown. Cette fois par contre, je ne les accompagnais pas; mes parents souhaitaient se promener tranquillement à travers les différents kiosques sans devoir gérer un petit crinqué sur le rush de sucre de sa huitième barbe à papa de la soirée, qu'il irait vomir éventuellement dans les autos tamponneuses.

Alors qu'ils déambulaient dans une parfaite harmonie, l'œil inquisiteur de ma mère a repéré un kiosque de la compagnie Singer. Le représentant, un pauvre homme qui ne savait pas ce qui l'attendait, y exhibait les différents modèles de machines à coudre avec brochures et démonstrations, dans un enthousiasme débordant qui serait bientôt froidement assassiné.

Ma mère, voyant l'occasion d'obtenir explications, éclaircissements et vengeance, s'est dirigée vers le kiosque comme la foudre sur un poteau de métal planté dans un champ de maïs.

MÈRE: Ah! Un kiosque Singer... Je vais aller faire un tour. Viens-tu avec moi?

Mon père, voyant venir la catastrophe comme un maestro s'apprêtant à diriger un orchestre constitué de babouins et de ouistitis à qui on a demandé de jouer une symphonie, a préféré ne pas être impliqué dans ce carnage annoncé.

PÈRE: Non. Vas-y. Je vais en profiter pour aller voir... la grande roue.
MÈRE: Depuis quand tu t'intéresses à la grande roue?

Mon père ne s'est effectivement pas dirigé vers la grande roue. Il est simplement demeuré en retrait afin d'observer la collision à venir, tout en feignant de regarder les brochures d'un kiosque de fers plats. Car mieux vaut passer pour un coquet douteux que de se mettre entre le taureau et le gringalet en habit de satin sur le point d'être encorné.

La technique de ma mère a été parfaite. À l'image du grand avocat plaideur qui amène le témoin à s'inculper lui-même, tout comme le serpent qui lentement s'enroule autour du cou du lapin naïf croyant à une caresse, elle a calmement posé toutes les questions pertinentes pour s'assurer qu'il n'y avait aucune issue possible pour le représentant, avant de lui couper toute entrée d'oxygène.

MONSIEUR SINGER : Bonsoir madame !

MÈRE : Bonsoir.

MONSIEUR SINGER : Belle soirée pour acheter une machine à coudre, n'est-ce pas ?

MÈRE : Comme vous dites, oui !

MONSIEUR SINGER : Ha ! ha ! ha !

MÈRE : Ha ! ha ! ha !... *(Pointant hypocritement le modèle en question)* Ah ! C'est quoi ce modèle-là ?

MONSIEUR SINGER : Ah ! Ça c'est notre nouveauté ! Notre meilleure machine ! Y'a rien qui se fait de mieux sur le marché !

MÈRE : Y'a plusieurs pitons, ça semble un peu compliqué pour moi...

MONSIEUR SINGER : Eh bien, n'ayez crainte, ma chère dame ! À l'achat de cette machine, on vous offre une formation complète de deux heures.

MÈRE : Ah oui ? Deux heures ?

MONSIEUR SINGER : Minimum !

MÈRE : Minimum ? Vraiment ?

MONSIEUR SINGER : Évidemment, si vous avez d'autres questions au-delà de cette période, on pourra vous aider !

MÈRE : Donc, quiconque achète cette machine reçoit la formation de deux heures ?

MONSIEUR SINGER : Ça c'est garanti.

Je n'y étais pas, mais je crois qu'à ce moment dans le ciel, un coup de tonnerre s'est fait entendre, tout comme ce fut le cas lorsque Jésus a laissé aller son dernier souffle sur la croix.

MÈRE : MENTEUR !!!

MONSIEUR SINGER : …

MÈRE : Je l'ai, votre maudite machine ! Et mon fils en a acheté une à ma bru ! Elle a jamais eu sa formation de deux heures ! C'est à peine si ça a duré vingt minutes ! Ça lui a pris plus de temps trouver un stationnement que d'écouter les conseils !

MONSIEUR SINGER : Mais…

MÈRE : Pis les conseils ! Quels conseils ?! Ils lui ont dit comment l'allumer pis l'éteindre ! C'est pas un cours d'électricité qu'elle veut !

MONSIEUR SINGER : Je…

MÈRE : Elle veut savoir comment installer une boutonnière ! C'est pas comme une fermeture éclair ! C'est très différent ! J'suis pas une tarte !!! Vous me prenez pour une tarte ?

(Une cliente s'approche pour regarder le kiosque.)

MÈRE : Achetez pas ici, madame !!! Vous comprendrez jamais rien !!!

(La cliente quitte.)

MÈRE : Connaissez-vous la différence entre deux heures et vingt minutes ? C'est cent ! Vous lui devez cent minutes d'explications !!!

MONSIEUR SINGER : Je pourrais maintenant, si vous voulez…

MÈRE : Pas maintenant ! Elle est pas ici, et moi j'ai pas le temps… Mon mari veut aller voir la grande roue !!!

Depuis ce temps dans la famille, chaque fois qu'on parle d'une personne en ayant engueulé une autre, on fait référence à cette anecdote.

Dans un film, un soldat se fait royalement sermonner par son sergent ? Il reçoit le traitement Singer.

Un entraîneur de baseball enguirlande l'arbitre et lui garroche de la terre avec son pied ? Il lui donne le traitement Singer.

Ce que ma mère va faire après avoir lu ce passage du livre ? M'appeler pour me donner le traitement Singer.

L'AMOUR

Discussion téléphonique un lendemain de Saint-Valentin.

MOI : Pis, qu'est-ce que vous avez fait pour la Saint-Valentin ?

PÈRE : On s'est fait venir du poulet.

MÈRE : Rendu à notre âge, on niaise un peu moins avec ces affaires-là…

MOI : Visiblement.

PÈRE : Y faisait trop froid pour sortir.

MÈRE : C'est pas à cause du froid, c'est parce que t'as peur de la glace noire !

PÈRE : C'est une glace hypocrite ! J'irai pas me casser une hanche pour manger du poulet !

MÈRE : On serait allés dans un meilleur restaurant !

PÈRE : On ira quand la glace aura fondu.

MÈRE : C'est ça. On a la vie sociale d'un ours !

PÈRE : Pis toi ?

MOI : Bof… J'aime mieux Pâques que la Saint-Valentin.

MÈRE : Pourquoi ?

MOI : Parce que j'aime mieux un lapin qui cache ses œufs qu'un ange qui me tire une flèche dans le cul.

MÈRE : Boooooon…

PÈRE : Ha ! ha ! ha !

Je n'ai jamais surpris mes parents à faire l'amour. Je ne les ai jamais entendus le faire non plus. Et c'est parfait comme ça.

Cet idéal a cependant été détruit à l'été 2010.

Mes parents étaient en visite à Montréal chez mon frère pour quelques jours et il y avait un souper de famille afin de souligner leur 59e anniversaire de mariage. Alors que nous étions tous autour de la table à l'extérieur par une superbe soirée de juillet, l'information de trop est arrivée, assassinant ainsi mon innocence à grands coups de pelle.

CHAT : MIAOW !!!

NEVEU : Le chat veut sortir.

BELLE-SŒUR : Non ! J'ai pas envie de courir après pendant trois jours !

CHAT : MIAOW !!!

MOI : Y'est peut-être en chaleur…

FRÈRE : Il est castré.

CHAT : MIAOW !!!

MOI : Y'a peut-être encore le réflexe !

CHAT : MIAOW !!!

BELLE-SŒUR : *(En riant, à mes parents)* Eille, parlant de bruit pis de chaleurs, qu'est-ce que vous faisiez vous deux à matin dans votre chambre ?

FRÈRE : Ouain, c'tait quoi c't'affaire-là ?

MÈRE : *(Face rouge.)*

PÈRE : On faisait notre devoir conjugal. C'est notre anniversaire de mariage, ça se fête !

FAMILLE AU COMPLET : *(Silence.)*

CHAT : MIAOW !!!

FAMILLE AU COMPLET : *(Silence.)*

PÈRE : Vous nous avez pas entendus hier soir, juste ce matin ?

FRÈRE : Non, juste ce matin…

FAMILLE AU COMPLET : *(Silence.)*

CHAT : MIAOW !!!

MOI : Vous l'avez fait deux fois ?

MÈRE : *(Face rouge.)*

PÈRE: Oui mon homme ! Et c'était pas juste par réflexe !
FAMILLE AU COMPLET: *(Silence.)*
CHAT: MIAOW !!!
FAMILLE AU COMPLET: *(Silence.)*
MÈRE: J'vas prendre une autre brochette.

Personne ne leur a demandé davantage de détails. On en savait tous déjà trop.

Cela étant dit, je sais très bien à quel point mes parents s'aiment. Je ne peux donc absolument pas douter de l'intensité de leurs moments d'intimité, passés et actuels. Cependant, connaissant leurs « personnages » et sachant à quel point ils peuvent parfois être en désaccord sur de petites choses, je me suis amusé à faire un test.

Prenons une des scènes d'amour les plus mythiques de l'histoire du cinéma: la scène de la poterie dans le film *Ghost* (*Mon fantôme d'amour*), mettant en vedette Patrick Swayze et Demi Moore. On sait que le réalisateur a simplement dit aux acteurs: « Voici un tour de potier, faites-nous rêver, soyez sensuels et amoureux. » On connaît la suite.

Imaginons maintenant que mes parents remplacent les acteurs, et que le réalisateur leur donne cette même directive, le tout évidemment sur l'air de *Unchained Melody*.

RÉALISATEUR: Action !
MUSIQUE: Oooooooh myyyy looooove, my daarrrling...
PÈRE: Salut.
MÈRE: Bonjour.
PÈRE: Qu'est-ce que tu fais ?
MÈRE: De la poterie.

PÈRE : C'est nouveau ?

MÈRE : Oui. J'essaye ça.

PÈRE : Pis le macramé ?

MÈRE : J'suis tannée.

PÈRE : Pis le tricot ?

MÈRE : Tannée de ça aussi. De toute façon, les dernières paires de pantoufles que je t'ai tricotées, tu les portes jamais.

PÈRE : Ben oui mais tu m'en tricotes sept paires par année, j'suis pas un mille-pattes !

MÈRE : Vois-tu, c'est pour ça que je fais de la poterie ! Ça me change les idées du chialage !

RÉALISATEUR : Coupez !

(La musique s'arrête.)

RÉALISATEUR : OK. On va recommencer ça. Peut-être juste se mettre un peu plus dans l'ambiance d'une scène d'amour.

PÈRE : Moi j'étais dedans !

MÈRE : Ben oui... Rien de plus sensuel qu'un mille-pattes !

RÉALISATEUR : Ça va. On cherche pas de coupable... On travaille, on explore. OK ?

PÈRE : OK.

MÈRE : OK.

RÉALISATEUR : Bon. On recommence ça. Et... action !

MUSIQUE : Oooooooh myyyy looooove, my daarrrling...

PÈRE : Hello !

MÈRE : *(Répétant avec mépris)* « Helloooo ! »

RÉALISATEUR : Coupez !

(La musique s'arrête.)

RÉALISATEUR : Faudrait peut-être montrer un peu de bonne foi ici, hein ?

PÈRE : Ouain.

RÉALISATEUR : Madame Morency ?

MÈRE : Ben oui c'est correct.

RÉALISATEUR : Bon. On recommence ça. Et... action !

MUSIQUE : Ooooooooh myyyy looooove, my daarrrling…

PÈRE : Tu fais de la poterie ?

MÈRE : *(Ironique)* Bravo…

PÈRE : *(Enlève sa chemise.)*

MÈRE : Qu'est-ce tu fais ?

PÈRE : J'enlève ma chemise.

MÈRE : Pourquoi ?

PÈRE : Pour me coller sur toi de façon sensuelle.

MÈRE : Bon… Mais colle-toi pas trop. J'ai des chaleurs pis j'veux pas rater mon œuvre de poterie.

RÉALISATEUR : Coupez !!! On va laisser faire…

LES VIEUX SOUVENIRS HUMILIANTS

Je n'ai pas hérité mon côté moqueur des voisins, c'est dans l'ADN de tous les membres de ma famille. Poser une question stupide ou réagir niaiseusement à une situation courante n'est pas sans conséquence chez les Morency; les autres vont rapidement vous sauter dessus comme des lions sur un gnou qui boite.

De plus, l'anecdote sera automatiquement inscrite dans la mémoire de tous; on la racontera donc pendant plusieurs décennies.

Ainsi, presque tous nos partys de Noël et autres réunions familiales comportent un bloc d'histoires humiliantes. On a évidemment tous et toutes dit ou fait des choses moins glorieuses dans nos vies, et c'est un plaisir de les rappeler à celui ou celle les ayant commises. Et puisque la famille est nombreuse, il y a toujours un beau-frère ou une blonde de neveu récemment ajoutés qui ne connaissent pas ces récits, ce qui justifie le fait de les raconter pour la 40 000e fois.

Normalement, on se met sur le cas d'un ou une d'entre nous jusqu'à ce qu'il ou elle réplique à un des agresseurs, qui devient alors à son tour la cible des railleries.

Voici un exemple de ce type de discussion qui a changé de direction à quelques reprises. J'ai amorcé le tout en me moquant de ma sœur, dont mes parents ont déjà oublié le nom… Oui, ça arrive à tous les parents à un certain moment de leur vie. Ils mélangent les prénoms. Souvent, lorsque ma mère veut me parler, elle va dire: «Jean-Paul! Euh Bernard! Euh Régent! Euh Paul-Armand! Euh... FRANÇOIS!!!»

Le problème avec ma sœur, c'est que ma mère ET mon père l'ont appelée «Chose» en l'espace de cinq minutes.

MOI: Eille, Chose, passe-moi donc la salade!

FRÈRE: Ha! ha! Chose!

SŒUR: J'en reviens pas que vous m'ayez appelée «Chose».

MÈRE: Ben oui mais vous êtes nombreux, à un moment donné on se mélange!

SŒUR: Ben oui mais «Chose»!

FRÈRE: C'pas grave, Chose!

MOI: C'est des choses qui arrivent!

SŒUR: Pis toi François, as-tu encore peur des ambulances?

MOI: Bon...

MÈRE: Quand il était petit, à toutes les fois qu'une ambulance passait dans le coin, il se mettait à pleurer.

FRÈRE: Pas juste quand y'était petit, ça s'est étiré cette affaire-là!

MOI: Pas vrai!

MÈRE: Oui c'est vrai!

SŒUR: Et pas juste les ambulances! Les polices, les pompiers, aussitôt qu'on entendait une sirène: Bouuuuuu! Il pleurait!

PÈRE: La crise!

MÈRE: Fallait se garrocher pour le rassurer!

MOI: Et voilà...

FRÈRE: Une chance que t'étais pas à New York le 11 septembre 2001, t'aurais ben explosé!

TOUTE LA FAMILLE SAUF MOI: Ha! ha! ha!

SŒUR: Y'aurait explosé mais pas autant que quand y'avait son habit-brique sur le dos!

NOUVELLE BLONDE DE NEVEU: L'habit-brique?!?

FRÈRE : Quand j'me suis marié en 1976, François s'est habillé chic !

MOI : C'était pas mon choix !

FRÈRE : Maman, sors la photo !

MÈRE : Avec joie !

MOI : C'est tellement pas nécessaire...

NOUVELLE BLONDE DE NEVEU : Wouash ! Pourquoi t'as mis ça ? ! ?

MOI : Parce qu'on m'a obligé ! Penses-tu vraiment qu'à dix ans j'avais décidé de porter ça ? ! J'avais dix ans, je décidais rien !!!

FRÈRE : Couleur brique, très laid et très serré !

FRÈRE 2 : T'avais l'air d'un foyer !

MÈRE : *(Pleurant de rire)* C'était pas si pire.

MOI : Tu m'as déguisé comme une madame déguise son caniche !

SŒUR : L'as-tu remis, cet habit-là ?

MOI : Non !!!

MÈRE : Oui, il l'a remis à notre 25e anniversaire de mariage.

FRÈRE : Au moins, toi, ton calvaire a duré seulement deux soirées !

NOUVELLE BLONDE DE NEVEU : Hein ?

FRÈRE : Quand on avait huit, neuf ans, mon frère et moi on a été servants de messe.

FRÈRE 2 : Et on a été un peu tannants.

MÈRE : Un peu tannants ? ! ? Y'ont pas arrêté de faire les singes devant tout le monde, j'ai eu assez honte ! Tout le monde me regardait !

FRÈRE : Rendu à la maison, ça a brassé un peu.

FRÈRE 2 : Un mois de punition non-stop !

PÈRE : Moi j'trouvais pas ça si grave que ça...

MÈRE : Ah ben crisse ! *(Silence total.)*

MÈRE : J'veux dire crime ! Crime !!!

SŒUR : Bon... On parle-tu d'autre chose ?...

MOI : Ha ! ha ! ha ! « Chose » !!!

En passant, pour ceux et celles que ça intéresse, vous pouvez voir l'habit en question dans la section photo.

Si OU CHi ?

En début de carrière, je donnais souvent des spectacles avec mon ami Jean-Michel Anctil. Nous faisions tous les deux partie de la relève et nous joignions nos forces pour livrer un spectacle complet. Mes parents étaient de fidèles spectateurs, mais mon père avait de la difficulté à prononcer le nom d'un des personnages de Jean-Michel.

MOI : Viens-tu demain soir ?

PÈRE : Oui. Jean-Michel va-tu faire Préchilâ ?

MOI : Tu veux dire Priscilla.

PÈRE : Oui, Préchilâ.

MOI : Non, toi tu dis Préchilâ.

PÈRE : Oui, c'est ça, Préchilâ.

MOI : Non ! c'est PRI-SCI-LA. C'est « Pri » pas « Pré », pis c'est pas « chi » c'est « sci ». Y'a pas de « chi ».

PÈRE : Mais lui quand il fait ça, lui il dit « chi », il dit : « Mon nom est Préchilâ. »

MOI : Oui, parce que le personnage prononce mal ! Mais toi t'es pas un personnage, donc on dit Priscilla. Pas de « chi ».

PÈRE : Il va-tu le faire, oui ou non ?

MOI : Oui.

PÈRE : Bon ! Merci !

MOI : Tu veux dire, merchi !

PÈRE : Tu veux-tu une droite ou une gauche ? !

LA VIE AMOUREUSE DU CHAT

J'ai toujours aimé les animaux, surtout les chiens, mais puisque ma mère a toujours eu peur des chiens, nous avons eu des chats. Elle n'aime pas vraiment davantage les chats, n'a jamais flatté aucun d'entre eux, mais elle se sentait plus à l'aise et moins en danger de se faire arracher un bras en partageant sa maison avec un chat.

En fait, elle a toujours été légèrement dégoûtée par la bave des chiens, et même par la bave en général. Ce qui est un peu paradoxal, car lorsque j'étais enfant et qu'elle me voyait avec une tache de bouette sur la joue ou une moustache de jus de raisin, il lui arrivait, comme à bien des mères, de me laver la face avec sa propre bave étalée au bout de son doigt.

Certains des chats que nous avons eus n'étaient pas castrés. Donc, ils passaient le plus clair de leur temps dehors à cruiser et nous revenaient parfois blessés, maganés ou avec des puces. Parfois même ils ne revenaient tout simplement jamais, car leur négligeable compréhension des feux de circulation et du trafic en ont fait des victimes du parc automobile de Québec. C'est pour cette raison que notre dernier projet félin, qui est arrivé alors que j'étais en secondaire 4 et que j'avais baptisé Mike, a subi la grande opération. Avant qu'on prenne cette décision cependant, il y a eu une discussion sur le sujet.

PÈRE : Si on veut pas que Mike finisse en crêpe de boulevard comme le dernier, faudrait qu'il reste dans la maison, donc il faudrait le faire castrer.

MOI : OK.
MÈRE : Pourquoi les chats sont pas capables de se calmer ?
PÈRE : De se calmer ?
MÈRE : Oui. Se trouver une chatte pis rester avec elle au lieu de courailler toute leur vie comme des débiles ! Comme Mike, y'aurait pas moyen de lui en trouver une avec qui il resterait tranquille ? Ils feraient leurs sorties occasionnelles ensemble, mais il rentrerait à la maison.

Bref, on a fait castrer Mike.

Mais si parmi vous, lecteurs et lectrices, se trouve une personne ayant un chat mâle, et que, comme ma mère, cette personne caresse l'espoir de lui faire rencontrer l'âme sœur afin de le voir vivre dans la stabilité amoureuse, j'ai rédigé l'annonce suivante :

« Jeune matou cherche compagne pour faire l'amour en miaulant comme des débiles afin de réveiller le quartier au grand complet.

J'aime les choses simples comme regarder par la fenêtre pendant sept heures consécutives et m'étendre sur des objets que les humains utilisent afin de les contrarier.

Je suis fasciné par les boîtes vides, mais surtout par la loi de la gravité, ce qui m'amène à pousser stupidement tous les objets en bas de la table.

Je suis disponible en tout temps sauf entre 3 h et 4 h du matin, heure à laquelle je suis occupé à courir dans la maison comme un crisse de malade, et ce, pour aucune raison. »

LA DISTRIBUTION DES RÔLES

Mes parents se sont mariés en 1951. Pour les couples de cette époque, plusieurs choses étaient déterminées à l'avance.

Premièrement, on se mariait. On n'habitait pas en appartement pendant sept ans pour se tester mutuellement. Et on se mariait à l'église, devant Dieu. Pas devant un juge au palais de justice, ni devant un célébrant quelconque dans la cour arrière de son beau-frère avec une thématique *Star Wars*.

Deuxièmement, on avait des enfants. DES enfants, un minimum de trois.

Troisièmement, le père travaillait, et la mère s'occupait des enfants et de la maison.

De nos jours, dans un couple, on se distribue les tâches domestiques selon nos goûts et dégoûts, nos habiletés et incapacités, négociant de façon très serrée comme s'il s'agissait d'une prise d'otage.

À l'époque de mes parents, les tâches étaient clairement distribuées longtemps avant que les époux en viennent à dire: « Oui je le veux. » En gros, ma mère gérait l'intérieur de la maison: laveuse, sécheuse et lave-vaisselle, ménage, gestion familiale et éducation des enfants. Et mon père gérait l'extérieur: tondeuse, souffleuse et voiture, garage, travaux d'entretien et économie familiale.

Évidemment, il arrivait que l'un tente de se mêler des machines de l'autre, mais c'était rarement un succès. Comme cette fois où mon père, en l'absence de ma mère partie pour une semaine dans un spa avec une de mes tantes, a tenté de faire une brassée de lavage.

Après quarante-cinq secondes, il appelait ma sœur en catastrophe.

SŒUR : Allô papa ! Comment ça va ?
PÈRE : Mal !
SŒUR : Qu'est-ce qui se passe ?
PÈRE : J'suis en train de faire du lavage !
SŒUR : Wow !
PÈRE : Ouain. Là j'ai mis le linge dans la laveuse, j'ai mis du savon pis j'ai tiré sur le piton pour commencer un cycle.
SŒUR : Bravo, à date ça va bien.
PÈRE : Ouain. Mais là, l'eau, a monte !
SŒUR : Oui…
PÈRE : Mais oui ça va-tu arrêter de monter à un moment donné ? !
SŒUR : Oui, ça va s'arrêter tout seul.
PÈRE : Es-tu certaine ? Parce que je trouve que ça monte beaucoup pis que ça monte vite ! Ça va pas déborder, cette affaire-là ?
SŒUR : Non. Ça va s'arrêter tout seul.
PÈRE : Ouain.
SŒUR : J'vais rester sur la ligne avec toi jusqu'à ce que ça arrête.
PÈRE : OK.
(L'eau monte.)
PÈRE : T'entends-tu ça monter ?
SŒUR : Oui. C'est normal.
PÈRE : Pas sûr, moi !
SŒUR : …
PÈRE : Pis ça fait beaucoup de mousse, hein !
SŒUR : Quelle quantité de savon t'as mis ?

PÈRE : Ben ! La quantité normale ! Celle indiquée sur la boîte !!! J'ai fait c'qui est marqué !!!
SŒUR : C'est beau, c'est beau.
(L'eau cesse de monter.)
SŒUR : Bon. Vois-tu. Ça s'est arrêté.
PÈRE : Oui mais là c'est pas supposé tourner pis laver, cette affaire-là ? Va-tu falloir que je brasse avec mes mains ?
SŒUR : T'as juste à fermer le couvercle.
(Mon père ferme le couvercle et le cycle débute.)
PÈRE : Ah.
SŒUR : Faque tout est correct ?
PÈRE : Oui, mais reste pas loin du téléphone.

Tous les couples traditionnels comme celui de mes parents ont donc eu à vivre une importante période de transition. Lorsque l'homme prenait sa retraite, il se retrouvait du jour au lendemain dans les affaires et dans les machines de la femme, tentant, souvent malhabilement, de comprendre leur fonctionnement, de s'impliquer dans leur gestion et, surtout, d'amener un changement dans les opérations. Un de mes frères, qui avait pris une semi-retraite pour quelques mois, a fait la gaffe de dire à sa femme qu'il remettait en doute sa façon de placer les assiettes et ustensiles dans le lave-vaisselle, et que lui-même avait un meilleur système, plus logique.

Les murs de leur maison en tremblent encore.

Pire que le traitement Singer…

Parmi les petits accrochages domestiques récurrents entre mes parents, un concerne l'emplacement des cuillères à thé. Mon père aime quand les cuillères à thé sont dans un pot sur la table. Ma mère, non.

(Mon père dépose le pot de cuillères sur la table.)

MÈRE : Tassez-vous tout l'monde ! Les cuillères arrivent !

PÈRE : Le pot est sur la table, comme ça chacun peut piger sa cuillère.

MÈRE : On pourrait piger pis tasser le pot après !

PÈRE : Le pot reste, au cas où tu voudrais une autre cuillère.

MÈRE : Pourquoi je voudrais une autre cuillère ? Sont toutes pareilles ! Personne change d'idée sur une cuillère, c'est pas des souliers !

PÈRE : Mettons que t'échappes ta cuillère à terre, tu peux en prendre une autre.

MÈRE : On échappe pas nos cuillères, on a pas quatre ans ! Pis y prend d'la place, ton pot !

PÈRE : Y prend la place de quoi ? Y'a-tu quelqu'un qui voulait monter sur la table pour giguer ?

MOI : Incroyable...

PÈRE : Moi j'en prends deux ; une pour ma tarte aux pacanes pis une pour brasser mon café.

MÈRE : Tu pourrais prendre la même...

PÈRE : J'veux pas que mon café goûte les pacanes !

MÈRE : T'as juste à licher ta cuillère entre les deux !

PÈRE : J'passerai pas la soirée à licher ma cuillère comme un veau !

MOI : Avez-vous un crayon ? Faut que je prenne des notes.

MÈRE : Pourquoi ?

MOI : Rien. Continuez...

Un jour, à l'approche des fêtes, mon père a fait l'achat de coupes à champagne sans la présence de ma mère, qui lui avait donné des consignes. Elle a par la suite estimé que celles-ci n'avaient pas été respectées.

J'ai appris le tout lors d'un appel téléphonique, à la fin d'un voyage.

MÈRE : T'as des belles vacances ?

MOI : Très belles !

MÈRE : J'voulais te dire, ton oncle Yvon a un détecteur de métal pour la plage.

MOI : Ben oui, marcher sur la plage pendant quinze heures pour trouver un 25 cennes pis un vieux stérilet…

MÈRE : Franchement !

PÈRE : Ha ! ha ! Stérilet !

MÈRE : Bon, l'expert en verres…

MOI : Hein ?

PÈRE : J'ai acheté des coupes à champagne pis ta mère les aime pas…

MÈRE : C'est des bols à Jell-O !

PÈRE : C'est des coupes à champagne !

MÈRE : Ben tes coupes à champagne, y'ont l'air de bols à Jell-O !!!

PÈRE : Je connais la différence entre une coupe à champagne pis un bol à Jell-O !

MÈRE : J'vais pas recevoir ma visite en leur faisant boire du champagne dans des bols de pouding au riz !

PÈRE : Bon, du pouding au riz, asteure…

MOI : Donne-leur d'la bière, y'en font à base de riz.

MÈRE : T'aurais dû acheter des flûtes !

PÈRE : Tu m'avais dit « des coupes » !

MÈRE : Si j'avais dit « des flûtes », tu serais revenu avec des instruments de musique !!!

MOI : Bon ben bonne fin de soirée.

Malgré ces quelques accrocs dans la gestion domestique, l'efficacité d'un couple d'expérience comme le leur est spectaculaire. Tout comme une équipe de Formule 1 changeant les pneus et faisant le plein d'essence en trois secondes au beau milieu d'un Grand Prix, c'est dans une coordination parfaite que certaines besognes sont exécutées par mes parents. Cela s'illustre parfaitement le vendredi matin, jour d'épicerie.

10 h

Papa va partir l'auto pendant que maman termine la liste des choses à acheter.

10 h 05

Maman sort de la maison et monte en voiture ; la porte est débarrée, la voiture est chaude.

Pendant le trajet, mon père surveille les autos, ma mère surveille les piétons.

10 h 15

Ils entrent dans l'épicerie. Pendant que papa prend le panier, maman l'attend dans la rangée n° 1 avec la liste dans la main.

10 h 16

Ils partent. Mon père conduit le panier, ma mère prend les produits et les garroche dedans.

10 h 22

Mon père sort un kleenex aux produits laitiers car il sait que mère va éternuer dans les épices au bout de l'allée.

10 h 28

Arrivée à la caisse. Pendant que ma mère dépose les produits sur le comptoir, mon père sort les coupons-rabais qui ont été préalablement classés par ordre alphabétique.

10 h 32

Mon père paye, ma mère aide l'emballeur qui ne peut visiblement soutenir le rythme et qui ralentit le processus.

10 h 35

Mon père traîne les sacs, ma mère ouvre le coffre de la voiture.

10 h 46

De retour à la maison, ma mère sort de la voiture, ouvre la porte d'entrée, mon père stationne la voiture.

10 h 47

Mon père apporte les sacs de la voiture jusqu'au vestibule, ma mère prend le relais et les apporte jusqu'à la cuisine pendant que mon père retire ses bottes.

10 h 48

Ensemble, ils rangent les aliments dans leurs armoires respectives, le tout dans une parfaite chorégraphie, de sorte que mon père se penche au bon moment pour ne pas recevoir en plein visage la porte d'armoire que ma mère vient d'ouvrir.

10 h 50

L'opération épicerie est terminée en cinquante minutes, top chrono.

Et pendant ce temps-là, le petit couple moderne nouvellement formé, où en est-il ? Encore dans la section « légumes » à s'obstiner pour savoir quelle sorte de courges choisir. Pffffff.

ÉTUDES, LETTRES ET BEAUX MOTS

Pendant le deuxième cycle du primaire, j'ai fréquenté une école gérée par les Sœurs du Bon-Pasteur, l'Externat Saint-Jean-Berchmans, aujourd'hui déménagée et dont l'immense terrain de l'époque accueille maintenant des condominiums. C'est probablement la seule période de ma vie pendant laquelle j'aimais vraiment aller à l'école, principalement parce que les installations sportives étaient spectaculaires et que tout était magnifiquement structuré.

Les sœurs qui nous enseignaient étaient très compétentes, mais également très sévères, et j'ai bien sûr testé leur tolérance à quelques reprises.

Je me souviens particulièrement d'une matinée pendant laquelle le cours de français était consacré à l'enseignement des préfixes. La sœur donnait un préfixe à une rangée d'élèves, par exemple « in ». Les élèves de la rangée devaient à tour de rôle, à commencer par le premier assis à l'avant, nommer un mot que le préfixe « in » modifiait. Dans ce cas-ci : inévitable, inégal, inébranlable, etc.

Ma rangée s'était vu donner le préfixe « para ». J'étais assis à l'arrière et, donc, le dernier à répondre. Une fois mon tour venu, tous les mots que je connaissais – parapluie, parasol, parachute et paratonnerre – avaient été donnés. Ne sachant pas trop quoi dire, j'ai répondu : « Paraplotte ! »

Évidemment, c'est un gag d'enfant de 5e année, et j'ai obtenu un immense rire de mon public du même âge, ce qui déjà à l'époque constituait la récompense suprême justifiant tout le reste. Inconsciemment, en 5e année, je savais déjà ce que j'allais faire de ma vie. La sœur n'a cependant pas apprécié le gag.

SŒUR : Qu'est-ce que t'as dit ? ! ? !
MOI : Paraplotte.
(Gros rire de la classe.)
SŒUR : Et peux-tu nous expliquer à quoi sert un paraplotte ?
MOI : Ça pare les plottes.
(Ultra giga rire de la classe.)

Ce soir-là, j'ai donc dû copier deux cents fois la phrase : « Je ne dirai plus de mots vulgaires en classe », faire signer le document par un de mes parents et le rapporter le lendemain. J'ai choisi ma mère comme signataire. D'une part, elle faisait la gestion interne de l'éducation au jour le jour. D'autre part, je savais que les répercussions seraient moindres qu'avec mon père.

MÈRE : Paraplotte ? !
MOI : …
MÈRE : Paraplotte ? ! ?
MOI : …
MÈRE : Dis quelque chose !
MOI : Ben… il faut que tu signes.
MÈRE : De tous les mots que t'aurais pu sortir, t'as choisi paraplotte ? ! ?
MOI : Il me restait plus de vrais mots ! Toi, qu'est-ce que t'aurais dit ?
MÈRE : Ben… je… Paraguay ! ! !
MOI : C'est un pays, ça marche pas. « Para » ne modifie pas le « guay ».
MÈRE : En tout cas, j'aurais pas dit paraplotte ! ! !

Sûrement inspiré par cette exploration précoce du langage, cinq ans plus tard, quand est venu le temps de faire mon inscription au cégep, j'ai opté pour la concentration Lettres. Les retombées éventuelles de ces études n'étaient pas évidentes du tout, ni pour moi ni pour mon père.

PÈRE : En lettres ?
MOI : Oui, j'suis pas pire en français et en anglais.
PÈRE : OK, quel métier tu vas faire avec ça ?
MOI : C'est pas clair encore.
PÈRE : Penses-tu vivre d'amour et d'eau fraîche ?
MOI : Non, je préfère vivre d'amertume et de steak haché.
PÈRE : ...

Encore une fois, de façon subliminale, mes réponses indiquaient clairement la suite des choses.

Curieusement, les parents, qui pendant leur propre jeunesse ont souvent été turbulents à l'école, peuvent devenir très sévères envers leur progéniture. C'est une fois adulte que j'ai appris l'historique scolaire agité de mon père.

MÈRE : Vous avez pas mal tous été de bons élèves.
SŒUR : Sauf celui qui a inventé les paraplottes !
MOI : Bon OK ça va...
PÈRE : Ils retiennent de leur père.
MÈRE : Pardon ? ! ? !!
MOI : C'est quoi l'histoire ?
MÈRE : Il s'est fait mettre à la porte de l'école cinq fois dans la même année !
MOI : Cinq fois ? ! ?
SŒUR : Dans la même année !
PÈRE : Elle exagère...
MÈRE : Menteur en plus !!!

MOI : Et ils te reprenaient ?

MÈRE : Ben oui, sa mère allait plaider sa cause au frère directeur et il revenait deux jours après.

MOI : Expulsé cinq fois…

SŒUR : Qu'est-ce qui serait arrivé si nous on avait fait ça ?

MOI : On serait aujourd'hui tous décédés.

PÈRE : Bon, on joue-tu au *Pay Me ?*

Mes parents n'ont pas eu la chance de faire de longues études, et ils tenaient à offrir cette possibilité à leurs enfants. Lors de leur rencontre, ma mère travaillait dans une usine à 40 $ par semaine alors que mon père gagnait 5 $ par semaine en tant qu'employé à la quincaillerie familiale. Le fait de nous voir étudier les sécurisait énormément, et chaque bonne note était accueillie avec grand enthousiasme.

À la fin de mon secondaire j'ai obtenu, miraculeusement, de bons résultats en histoire. Ma mère a alors suggéré :

— C'est peut-être un signe. Tu pourrais faire ça avec les lettres, être un historien !

Non maman. Je n'aurais pas pu devenir historien. Pour le confirmer tout en tentant de la rendre fière, voici la section « historique » du livre, dans laquelle je reprends certains événements marquants de l'histoire de l'humanité en y ajoutant ma touche personnelle.

1903 : Les frères Wright réalisent le premier vol en avion.

Également, leur sœur, Anne-Sophie Wright, devient la première hôtesse de l'air alors qu'elle est attachée sur l'aileron arrière avec un thermos de café et un sac de peanuts.

C'est en 1773 en Nouvelle-Zélande que l'on invente la bière d'épinette. Très fier, son inventeur avoue qu'il cherchait depuis très longtemps comment mélanger un breuvage qui saoule avec un arbre qui goûte le cul.

Mai 1927 : Charles Lindberg est le premier homme à traverser l'Atlantique en faisant le vol New York-Paris en trente-trois heures. La veille, son cousin, Tito Lindberg, est devenu le premier homme à traverser un mur de gyproc en se faisant sortir d'une taverne par deux culturistes.

1888 : Harold Brown invente la chaise électrique. Au départ, monsieur Brown voulait seulement faire une blague à son beau-frère en lui donnant un choc dans le derrière pendant le souper.

En 1866, Robert Whitehead invente la torpille. Pour le prototype, on attachait un gars avec une grenade sur un dauphin. Ensuite est apparue la vraie torpille, mais le sous-marin n'existait pas encore. Alors on la faisait avaler à une baleine avec un 1000 litres de Pepsi afin qu'elle puisse ensuite la roter sur l'ennemi.

GODZILLA

Discussion téléphonique.

PÈRE : T'es en show à la Place-des-Arts samedi prochain ?

MOI : Oui. Voulez-vous venir ?

PÈRE : On va attendre que tu reviennes à Québec en octobre. Samedi on va sûrement aller au cinéma, je cherche une idée.

MOI : J'ai vu *Godzilla*.

PÈRE : Au cinéma ?

MOI : Non, au zoo...

PÈRE : Ha ! ha ! ha ! Bonne idée *Godzilla*, ça me tente !

MÈRE : *(Qui écoutait sur la ligne)* On ira pas s'asseoir pendant deux heures pour voir un lézard qui crache du feu !

PÈRE : C'est pas un lézard !

MÈRE : C'est quoi d'abord ? Un singe ! ?

MOI : Non, ça c'est King Kong.

MÈRE : Même chose ! C't'une bibitte qui écrase des autos !

PÈRE : Ça te fait peur ?

MOI : Moi, si Godzilla existait, j'aurais plus peur qu'il fasse un tas dans mon entrée de garage.

PÈRE : Ha ! ha ! ha !

MÈRE : Ben c'est ça. Allez-y donc ensemble, voir votre crocodile japonais !

LES MYSTÈRES DE LA VIE

Toutes les générations blâment la précédente pour leurs problèmes. Même l'homme de Cro-Magnon a dû blâmer les singes pour son flagrant manque d'hygiène.

Mais avant de critiquer la façon d'agir de ses parents, il faut connaître et comprendre la relation qu'ils avaient avec leurs propres géniteurs.

On devient parent par émulation; on part du modèle observé dans notre enfance, puis on tente d'améliorer les lacunes en sachant très bien que de toute façon certains aspects seront plus ou moins réussis, car on va assurément échapper certaines balles.

Les hommes de la génération de mon père ont souvent été critiqués pour leur manque d'habiletés de communication; en se basant sur le cas précis de mon père, tout cela s'explique facilement.

Étant le plus jeune d'une famille de quatorze enfants à une époque où le rôle du père était d'abord et avant tout celui de pourvoyeur, mon père a eu pour modèle un homme qui parlait uniquement lorsque c'était nécessaire.

Non seulement la communication n'était pas un mandat clair du paternel, mais en plus, le peu d'attention et d'énergie qu'il avait à accorder à cet aspect de la relation était divisé par quatorze. Ajoutez à cela le fait que la plupart des gens peinaient à atteindre l'âge de soixante-cinq ans et qu'il était donc impossible, pour ces pères, de rattraper le temps perdu une fois arrivés à la retraite.

Malgré cette réalité, mon père a toujours eu un profond sens du devoir. Lorsque je suis arrivé à la préadolescence, il a senti que c'était sa responsabilité de s'assurer que je connaisse les fondements de la reproduction humaine, les bases de la sexualité, l'abc du cul. Je précise encore une fois ici que tout cela se passait à une époque pré-Internet, pré-cours de sexualité dans les écoles et pré-pas mal tout. L'essentiel des apprentissages, dans cette matière, se déroulait la plupart du temps dans les ruelles, parcs et partys de sous-sol. Dans mon cas, à dix ans, malgré ma toute récente invention du paraplotte, je partais de zéro et tout était à faire.

C'était un samedi ou un dimanche matin. Je venais de terminer un match de hockey, et nous roulions en voiture, mon père et moi, vers la maison. Cependant, sans que je comprenne trop pourquoi, nous avons pris un chemin différent du trajet habituel.

MOI : Où est-ce qu'on va ?
PÈRE : Il faut que je te parle.

La sonorité de cette phrase, dans ma tête, annonçait un problème majeur, alors j'ai préféré prendre les devants.

MOI : C'est pas moi qui ai cassé le carreau de vitre de la porte du vestibule !!!
PÈRE : De quoi tu parles ?
MOI : Rien.

Changement de tactique : Ne répondre qu'aux questions claires.

PÈRE : À l'école, est-ce qu'ils vous ont parlé des hommes et des femmes ?

MOI : ...

PÈRE : Des relations sexuelles ?

MOI : ...

PÈRE : De comment on fait les bébés ?

MOI : ...

PÈRE : Oui ou non ? !

MOI : Non.

PÈRE : Faque tu sais rien là-dessus ?

MOI : Moyen.

PÈRE : *(Soupir...)* Bon. Alors quand l'homme et la femme s'aiment, ils font l'amour. Tu sais c'est quoi faire l'amour ?

MOI : Moyen.

PÈRE : L'homme rentre son pénis dans le vagin de la femme.

MOI : Hein ? ! ?

PÈRE : Nous les hommes, on a des pénis.

MOI : « Des » pénis ?

PÈRE : On en a chacun un !

MOI : Oui.

PÈRE : Bon. Ben les femmes, elles ont des vagins.

MOI : ...

PÈRE : Tu sais c'est quoi un vagin ?

MOI : Moyen.

PÈRE : C'est l'inverse d'un pénis. C'est intérieur. C'est par en dedans. C'est un genre de trou.

MOI : ...

PÈRE : Et l'homme rentre son pénis là-dedans.

MOI : Pourquoi ?

PÈRE : Pour faire l'amour. Et la sensation de ça, c'est incroyable ! C'est une jouissance !

MOI : C'est quoi jouissance ?

PÈRE : C'est quelque chose de très, très, très plaisant !

MOI : ...

PÈRE : C'est quoi la chose que t'aimes le plus faire dans la vie ?

MOI : Aller glisser en Crazy Carpet sur les plaines d'Abraham.

PÈRE : Ouain. Ben fie-toi sur moi, mon homme, le Crazy Carpet va tomber deuxième quand tu vas découvrir le sexe !

MOI : ...

PÈRE : Et là, y'a un liquide qui sort du pénis de l'homme.

MOI : De la pisse !!!

PÈRE : Non. Du sperme. Ça, ça vient de c'qu'y'a en-dessous de ton pénis.

MOI : Mes jambes ?

PÈRE : Non, tes testicules. Et avec ce liquide-là, la femme tombe enceinte, y'a un bébé qui se forme dans son ventre et ensuite elle va accoucher pis le bébé sort.

MOI : ...

PÈRE : C'est beau, t'as compris ?

MOI : Moyen.

PÈRE : Parfait. Faque c'est quoi l'histoire de la vitre cassée ?

JACK BÉDARD

Dans tous les quartiers, il y a des gens qui sont de véritables personnages. Leur façon de parler, de marcher, de s'habiller, de réfléchir, de voir la vie… En fait, l'ensemble de leur être ne ressemble à rien ni personne. Bizarres de bibittes au départ, ils deviennent rapidement très sympathiques, ne serait-ce que par leur originalité innée.

Dans le quartier Saint-Sacrement, un de ces singuliers spécimens était Jack Bédard.

Alors que j'étais adolescent, Jack devait déjà avoir atteint la soixantaine, mais il faisait tout de même partie de notre gang. Grand solitaire dont on ne connaissait rien du passé, Jack était entre autres responsable de l'entretien de la salle de quilles et du terrain de baseball où on passait les mois d'été. Il n'était pas rare que nous l'invitions à nos partys de hockey ou de baseball, où il s'assoyait dans un coin pour siroter sa bière avec un grand sourire, heureux de faire partie d'un groupe alors qu'il vivait l'ensemble de sa vie comme un quasi-fantôme, ne parlant que lorsqu'on lui posait une question directe.

Il agissait parfois à titre d'arbitre au premier but lors de matchs de balle molle. Là comme ailleurs, il appliquait une philosophie très claire.

JACK: Quand j'suis pas certain, je dis toujours: « Retiré ! »

Une paralysie partielle de la jambe et du bras gauches le rendait encore plus attachant. Mais son handicap ne l'empêchait jamais de faire quoi que ce soit. Il pouvait facilement compléter des dizaines de longueurs de piscine sans jamais se fatiguer, en plus de marcher l'équivalent d'un à deux marathons par semaine, et ce, beau temps mauvais temps. Il n'était pas rare de le croiser à des dizaines de kilomètres de chez lui, marchant seul et refusant de prendre quelque moyen de transport que ce soit afin d'accélérer ses déplacements.

Un jour, j'ai alors environ dix-huit ans, je suis en voiture avec mes parents à l'autre bout de la ville. Nous apercevons Jack qui déambule seul sous la pluie comme un poète en recherche d'inspiration.

MÈRE : Coudonc, est-ce que c'est monsieur Bédard, ça ?
MOI : Oui, c'est Jack !
MÈRE : Il doit être perdu.
PÈRE : On va lui offrir un lift.
MOI : Y'est pas perdu et il voudra pas de lift.
MÈRE : Ben oui il va vouloir ! On a une belle auto confortable.
MOI : Non, il voudra pas, y'aime ça marcher.
MÈRE : Franchement ! Qui refuse d'aller en voiture quand il fait mauvais ?
MOI : Qui ? Jack Bédard.
(La voiture s'arrête près de Jack.)
PÈRE : Bonjour Jack !
JACK : Bonjour !
MÈRE : Vous en allez-vous à Saint-Sacrement ?
JACK : Oui !
MÈRE : Embarquez, on vous ramène !
JACK : Non, c'est correct.

PÈRE : Ben voyons Jack, embarque !

JACK : C'est gentil mais non.

MÈRE : Ben voyons !

JACK : J'aime ça marcher !

MOI : J'vous l'avais dit !

MÈRE : Mais il pleut.

JACK : Je le sais.

MÈRE : Vous êtes certain ? Ça nous ferait plaisir !

MOI : Lui, ça lui ferait plaisir qu'on le laisse tranquille.

JACK : Non merci. Je marche.

PÈRE : OK d'abord…

(Nous reprenons notre chemin.)

MÈRE : T'aurais dû insister plus !

PÈRE : Voulais-tu qu'on le kidnappe en le rentrant de force dans le coffre du char ?

MÈRE : Je me sens coupable de l'avoir laissé de même.

PÈRE : Y'est pas dans le désert avec une flèche dans la tête, il prend une marche en ville !

MÈRE : Ça se fait-tu à pied, d'ici à chez lui ?

PÈRE : Ben oui ça se fait ! Y'a pas d'océan entre les deux !

MÈRE : Mais oui mais vu de même, il pourrait faire Québec-Saskatoon !

PÈRE : Il pourrait !

MÈRE : C'est dangereux de marcher autant !

PÈRE : As-tu peur qu'il se perde en forêt comme le Petit Poucet ou qu'il se mette le pied dans un piège à ours ?

MÈRE : On le laisse à la pluie battante comme un animal de la ferme.

PÈRE : J'allais quand même pas le menacer avec une barre à clous ! Si y'avait voulu, y'aurait dit oui !

MÈRE : Des fois, les gens disent non parce qu'ils sont gênés, mais dans le fond ils veulent dire oui !

PÈRE : Bon. Veux-tu rentrer à pied pour l'accompagner ?

MÈRE : Non.

PÈRE : Si je suis ta logique ça veut dire oui, donc tu débarques ?
MÈRE : …

Non. Elle n'est pas descendue de la voiture.

PARTY, SOUS-SOL ET HONNÊTETÉ

Durant mon enfance, nous avions la chance d'avoir chez nous un grand sous-sol avec une table de billard et une de ping-pong, ce qui a contribué à me rendre très populaire auprès des jeunes du voisinage. Parmi mes amis de l'époque, il y avait Pierre. Cet ami a toujours mystifié ma mère, car déjà dans sa jeunesse il parlait comme un politicien ; il était incapable de répondre clairement aux questions.

MÈRE : Bonjour Pierre !

PIERRE : Bonjour.

MÈRE : Ça va bien ?

PIERRE : Oui. Ben tsé, correct. Ben, oui. Ça va assez bien.

MÈRE : T'es allé dans le Maine avec tes parents ? L'eau était pas trop froide ?

PIERRE : Oui. Mais pas si pire. Des fois elle était chaude, mais pas super chaude, mais pas trop froide non plus. Quoique parfois froide.

MÈRE : Donc c'était correct.

PIERRE : Oui. Ben, moyen, tsé, mais ça dépendait.

MÈRE : Ça dépendait de l'eau.

PIERRE : C'est ça. Ben, oui. On peut dire ça. Je pense.

APRÈS LE DÉPART DE PIERRE :

MÈRE : Mon Dieu que cet enfant-là est confus !

PÈRE : Une maudite chance qu'il soit trop jeune pour voter au référendum, il passerait bien quatre mois dans l'isoloir !

Dans son sous-sol à lui, Pierre avait une radio câblée, ce qui nous permettait d'écouter toutes les stations de la province, chose impressionnante pour un gars de quatorze ans à l'époque. C'est en écoutant CHOM-FM chez lui un matin de septembre 1980 que nous avons appris la mort de John Bonham, le batteur de Led Zeppelin.

MOI : Hein ! John Bonham est mort !

PIERRE : Oui ! Ben, ça a ben l'air. Je pense, il me semble.

MOI : Ils viennent de le dire !

PIERRE : Oui. Ben, ils ont dit « dead », ça veut dire « décédé », je pense, probablement. Je suppose qu'il est mort. C'est à voir.

MOI : C'est pas à voir, y'est mort !!!

J'ai eu une enfance de grande famille, étant le plus jeune de quatre enfants. Mais j'ai eu une adolescence d'enfant unique, car mes frères et ma sœur ont tous quitté la maison alors que j'étais au secondaire. Puisque j'étais désormais le seul enfant à la maison et que j'étais plutôt responsable, mes parents ont profité de cette période pour faire des voyages fréquents, me laissant ainsi la garde de la maison. La consigne était cependant claire :

PÈRE : Pas de party !

MÈRE : Si tu veux faire des partys, tu les fais pendant qu'on est ici.

PÈRE : On veut être là.

MÈRE : Compris ?

MOI : Hum-hum.

Évidemment, à seize ans, la combinaison de la forte tentation de la déchéance et de l'immense pression de la gang d'amis a eu raison des avertissements, et party il y eut un soir de printemps 1982. Mes parents étaient alors en Floride.

J'avais eu la bonne idée de barrer la porte de certains lieux proscrits, comme le bureau de mon père et la chambre de mes parents, afin d'éviter des mauvaises surprises du genre crétin en boisson qui se fait une toge romaine avec les draps des parents avant d'aller taper les paroles d'une chanson de Pink Floyd sur la dactylo de mon père en utilisant son pénis.

Comme dans tous les partys d'adolescents, on retrouvait les classiques :

- La personne, gars ou fille, d'ordinaire plus ou moins à l'aise avec son corps mais qui soudainement se met à danser comme si sa vie en dépendait.
- Le loup solitaire dans son coin qui boit sa bière en silence comme un ex-militaire américain qui tente d'oublier les horreurs du Vietnam.
- Le goinfre du groupe, qui ne se sort pas la tête du frigidaire de toute la veillée, et que l'on surprend à se vider la cannette de crème fouettée en aérosol directement dans le fond de la gorge.
- Et, évidemment, ceux et celles qui passent la soirée à l'extérieur dans la cour à fumer du tabac d'artiste.

À cela, ajoutons certains éléments plus détaillés de ma soirée :

- Deux maniaques de lutte qui décident de reproduire des *moves* de Hulk Hogan en se lançant en bas du pouf du salon, dont une patte a cassé.
- L'arrivée de deux nouveaux chats dans la maison, car les fumeurs de vapeurs de joie avaient mal fermé la porte lors d'un de leurs nombreux déplacements. Oui, deux chats, mais aucun écureuil ; la théorie de mon père n'a donc toujours pas été démontrée.

À un certain moment de la soirée, alors que j'échangeais quelques doux baisers avec une jeune fille sur le sofa du salon, un de mes frères aînés, qui n'habitait plus à la maison mais qui, me connaissant, passait « par hasard » sur la rue « juste au cas », est entré.

FRÈRE : Grosse soirée !
MOI : ...
FRÈRE : C'est un *open house* ? T'es au courant que la porte est ouverte ?
MOI : Non.

Au même moment, Pierre est arrivé avec deux chats dans les mains.

PIERRE : Bonsoir !
FRÈRE : En plus, le chat a invité ses amis ! C'est à qui ça ?
PIERRE : Ben. À vous autres. Ben en fait, je le sais pas. Ben, c'est des chats et ils sont ici. J'aime bien les chats. En fait, pas tant que ça.
FRÈRE : On a un chat, et c'est pas un de ces deux-là.
PIERRE : Oui. En fait, j'ai vu ces deux chats et...
MOI : *(Le coupant)* OK c'est beau, je m'occupe de la porte pis des chats !

En me levant le lendemain, j'étais heureux de constater que la maison était dans un très bon état, que les intrus à deux et à quatre pattes n'avaient fait aucun dégât majeur ; du moins, rien que je n'aurais pu faire disparaître grâce aux conseils de grand-mère trouvés dans un livre qui traînait dans la maison et dont j'oublie le titre. Vous savez, le genre de livre de Madame Chasse-Taches, dans lequel on nous donne des trucs ménagers comme :

- Comment réparer une porte-patio avec de la mie de pain et un restant de citron.
- Comment se faire un couteau suisse avec un couteau à beurre et un suisse.

- Comment enlever des taches de sang sur un gâteau de mariage.
- Comment gagner aux dards lorsque le vent est fort.
- Comment activer un détecteur de fumée en se frottant les cuisses.
- Etc.

Au retour des parents, j'appréhendais l'interrogatoire officiel. Ne sachant trop si mon frère avait parlé ou non, je me retrouvais dans une situation «bon cop bad cop». Je pressentais que mon complice avait peut-être préféré sauver son cul en échange d'un bon *deal.* J'ai donc pris les devants.

MOI: *(Trop enthousiaste)* Passé un beau voyage?!

MÈRE: Oui.

MOI: Excellent!!! Vous avez l'air bien et reposés!!!

MÈRE: Et ici, comment ça s'est passé?

MOI: Bien!!! Vraiment!!!

MÈRE: ...

MOI: J'ai fait un party.

MÈRE: On t'avait dit qu'on voulait être là!

MOI: Je sais. C'est parce que ça s'est décidé à la dernière minute, vous étiez déjà partis.

MÈRE: ...

MOI: Mais y'est rien arrivé de grave, y'a rien de brisé, j'avais barré la porte de votre chambre pis du bureau!

MÈRE: ...

MOI: Y'en a qui avaient laissé la porte ouverte, donc y'a deux chats qui sont entrés dans la maison.

PÈRE: *(Criant du salon)* AH!!! JE L'SAVAIS!!! DEPUIS LE TEMPS QUE JE TE LE DIS!

MOI: DES CHATS! PAS DES ÉCUREUILS!!!

MÈRE: Y'est rien arrivé d'autre?

MOI : Non.
MÈRE : Certain ?
MÈRE : Oui.
PÈRE : EILLE ! QUI A CASSÉ LA PATTE DE MON POUF ? !

Je n'ai pas eu droit au traitement Singer. Un peu parce que les conséquences étaient négligeables, mais surtout parce que j'avais dit la vérité. Oui, j'ai opté pour l'honnêteté, car ma mère savait. Mon frère n'avait rien dit, mais elle savait avant même que je parle.

Toutes les mères possèdent ce don spécial leur permettant de déceler un mensonge en deux secondes dans les paroles de leur enfant. Quelques années auparavant, j'avais tenté de déjouer ce pouvoir, mais tout comme un chien devant une balayeuse, je n'avais rien eu d'autre à offrir que peur et confusion. Voici l'histoire.

Mes très catholiques et croyants parents ont insisté pour que mes frères, ma sœur et moi allions à la messe tous les dimanches. Une fois devenus adolescents, le choix nous revenait de poursuivre ou non cette démarche spirituelle, mais jusqu'à ce point, ce n'était pas négociable. J'en étais presque arrivé au moment de prendre cette décision. En fait, dans ma tête de préado rebelle, elle était prise depuis longtemps ; non pas parce que j'avais réfléchi à la question, mais simplement parce que j'avais l'âge où tout ce que les parents font, disent et pensent est inacceptable. De plus, j'avais une affiche du groupe Kiss sur mon mur, avec le chanteur Gene Simmons maquillé en démon qui crache du sang ; je me devais donc de maintenir mon intégrité en cessant d'aller chanter les louanges de Dieu.

Mes parents assistaient toujours à la messe de 9 h le dimanche matin, mais puisque je dormais quatorze heures par jour, c'est à celle de 11 h que j'allais à reculons. En ce beau matin de février, j'avais décidé de contester officiellement l'autorité parentale et, au lieu d'écouter l'épître aux Corinthiens, je suis allé faire une marche dans le quartier pendant les quarante-cinq minutes que durait la célébration; évidemment, c'est beaucoup moins pénible de marcher dehors à –25 degrés sans tuque ni gants que d'être assis confortablement dans une église…

Passé le moment estimé de la fin de la messe, je suis revenu à la maison avec la face rouge, les lobes d'oreilles blancs, la morve coulante au nez et les sourcils gelés comme ceux d'un explorateur au sommet de l'Everest. J'avais à peine eu le temps de me dégeler les mâchoires que je devais tenter de répondre aux questions de ma mère, qui savait déjà tout par instinct. Elle voulait simplement s'amuser avec moi, me regardant aller comme un pêcheur regarde un poisson qui croit avoir encore des chances de s'en sortir, alors qu'il se tortille comme un imbécile dans le fond de la chaloupe.

MÈRE: Coudonc, t'arrives d'où?

MOI: De la messe.

MÈRE: Tu t'es gelé la face autant que ça juste en marchant le cinq minutes qui sépare la maison de l'église?

MOI: Ouain…

MÈRE: Fait pas chaud.

MOI: Vraiment pas.

MÈRE: Ben oui.

MOI: …

MÈRE: De quoi le curé a parlé dans son sermon?

MOI: Ben… de… de Jésus.

MÈRE: Mais encore?

MOI: Ben y'a parlé de la naissance de Jésus, avec la crèche pis le bœuf.

MÈRE : Ah oui ? C'est bizarre, on est en février, le bout sur la naissance normalement ils en parlent en décembre, plus dans le coin du 25.
MOI : ...

Évidemment, si mon ami Pierre avait été présent, il s'en serait sûrement sorti en disant quelque chose du genre :

PIERRE : Oui, j'étais à l'église. En fait non mais oui. Je n'y étais peut-être pas physiquement, mais oui au niveau spirituel, je priais dans la rue, car dans le fond c'est un peu ça la religion. Même plus qu'un peu, c'est beaucoup ça. En fait c'est pas mal ça, en fait juste assez. Je dirais moyen.

Mais Pierre n'y était pas.

MÈRE : T'es pas allé à la messe, hein ?
MOI : Non.
MÈRE : Pourquoi ?
MOI : Je veux plus y aller.
MÈRE : Pourquoi ? Tu crois pas ?
MOI : Je sais pas. Mais je veux plus y aller. Y'a aucun de mes amis qui y va.
MÈRE : OK.
MOI : Qu'est-ce que papa va dire ?
MÈRE : Y va être déçu, mais vous êtes tous pareils, c'est pas nouveau. Peut-être qu'un jour t'auras besoin d'aller fouiller plus loin que le réel pour comprendre certaines choses.

J'ai effectivement eu besoin, et très souvent d'ailleurs, de tenter de comprendre le réel en explorant l'abstrait, les métaphores et les croyances variées. Jusqu'à maintenant, ce chemin ne m'a pas ramené vers l'église, malgré les enseignements que treize années d'éducation catholique avec tous les sacrements inclus m'ont amenés.

Mais j'ai très bien compris la chance énorme d'avoir eu des parents assez intelligents et sensibles pour m'exposer au plus grand nombre de choses possible avant de me donner le choix de prendre ce qui me convient.

Si tout le monde avait eu cette chance, les choses tourneraient un peu plus rond.

Ça, j'y crois.

LES BREFS ÉCHANGES, DEUXIÈME PARTIE

1- Appel téléphonique à la veille d'un séjour à Québec.

PÈRE : Quand tu seras en show à Québec la semaine prochaine, va pas au restaurant, viens prendre tous tes repas à la maison.

MOI : Peut-être pas TOUS les repas…

PÈRE : Oui ! Ta mère a fait une batch de sauce à spaghetti. Ça fait trois jours qu'on mange du spaghetti pis de la lasagne pour passer à travers sa batch ! J'ai besoin d'aide !!!

MOI : Tsé que ça se congèle, hein…

(Silence.)

PÈRE : Viens pareil !

2- Mon père apprend que j'ai commencé à suivre des cours de yoga.

PÈRE : Y'a un chanteur qui a dit que grâce au yoga, il peut faire l'amour pendant quatre heures.

MOI : On va commencer par toffer vingt minutes.

3- Appel téléphonique le dimanche où l'on avance montres et horloges d'une heure.

PÈRE : Ouain ben ce matin, une heure est disparue de nos vies.

MOI : Personnellement je vis ça au moins cinq fois par semaine sur le boulevard Décarie.

4- Appel téléphonique concernant ma tournée de spectacles.

MOI : P'pa, j'suis à Québec en show les 3 et 4 mars, tu veux venir quel soir avec m'man ?

PÈRE : Lequel qui est le meilleur ?

MOI : J'fais l'même show les deux soirs...

PÈRE : J'veux dire, quel soir j'aurais les meilleures places ?

MOI : Vous êtes mes parents, je vais vous avoir les meilleures places peu importe le soir.

PÈRE : Le 3 c'est un lundi ?

MOI : Oui.

PÈRE : On joue aux quilles.

MOI : Donc le mardi ?

PÈRE : Non, lundi c'est bon, j't'écœuré de jouer aux quilles.

5- Lors d'un de leurs anniversaires de mariage, le 55e je crois, tous les enfants ont dit un mot pour les féliciter.

MOI : Bravo ! Vraiment ! Cinquante-cinq ans de mariage ! Wow ! Étant donné que la plupart de mes relations ont duré moins longtemps qu'une pinte de lait, je peux juste dire : Wow !

6- Petit, je regardais mon père se raser et j'avais hâte d'avoir du poil au visage pour faire comme lui. Une fois fraîchement rasé et la peau à vif, il se mettait de la lotion après-rasage Old Spice. Je ne sais pas si Old Spice a depuis rajeuni ses épices, mais la recette de l'époque faisait l'effet de jeter une tasse d'alcool à friction sur une plaie ouverte. Chaque fois, mon père lâchait un cri.

PÈRE : AAAAAAAH !!!…. AAAAAAAAAAHH !!!
MOI : Pourquoi tu mets ça ?
PÈRE : Parce que ça fait du bien.

Oui, une fois en âge de me raser l'ombre de poil que j'avais sous le nez, j'ai essayé Old Spice.

Une fois.

Plus jamais. Désolé, Old Spice.

7- Discussion au téléphone à l'été 2014, quelques mois après la disparition d'un Boeing 777 en Malaisie.

MOI : Salut, ça va ?
MÈRE : Oui ! À part qu'y'ont perdu un avion en Malaisie !
MOI : Ben oui…
MÈRE : C'est inquiétant j'trouve !
MOI : Aviez-vous l'intention d'aller en Malaisie ?
MÈRE : Non, on voyage plus. De toute façon ton père voudrait jamais. Il veut plus aller en France parce que la dernière fois, y'ont perdu ses bagages. Imagine une place où ils perdent l'avion !

8- Je ne bois pas de café, ni de thé. Oui j'ai essayé, je n'aime pas ça.

Mes parents boivent du thé après TOUS les repas. J'ai dû manger avec eux quelques milliers de fois dans ma vie, et encore aujourd'hui, chaque fois, rendu au dessert :

PÈRE : Veux-tu du thé ?
MOI : *(Soupir)* Non… merci.

MÈRE : Tu bois pas de thé ?
MOI : Non.
PÈRE : Me semble t'en buvais avant.
MOI : Non. J'ai jamais bu de thé de ma vie.
PÈRE : T'es sûr ?
MOI : M'as-tu déjà vu boire du thé ? As-tu déjà ne serait-ce que senti une légère hésitation dans ma voix qui te ferait croire que mon idée est pas faite, qu'après cinquante ans de vie j'aurais des doutes sur le thé, que je vais finalement donner une chance à Salada qui va sûrement faire faillite sans ma contribution ???
MÈRE : Mon Dieu, une chance qu'il boit pas de thé !
PÈRE : Ben oui, il tomberait en convulsions !

9- À l'époque, lorsque ma mère parlait du voisinage, elle faisait souvent référence à « la p'tite madame » : celle qui reste en face, celle de l'épicerie, celle du salon de coiffure, toutes selon elle des « p'tites madames ».

MÈRE : J'ai vu la p'tite madame du club des fermières hier.
MOI : Bon, une autre « p'tite madame ». À t'entendre parler, on habite dans le quartier des nains.
MÈRE : ...
MOI : C'est une question de perspective, approche-toi, elle est plus grande que tu penses !
MÈRE : Bon, t'es désagréable, j'm'en vas.

10- Discussion d'après-souper.

MÈRE : Tu sais, François, que quand t'es né tu pesais douze livres.
SŒUR : Balloune !!!
FRÈRE : Quel tas !!!

FRÈRE 2 : Un gorille !!!

MOI : Faque je t'ai fait souffrir à l'accouchement ?

MÈRE : Non, ça s'est bien passé !

PÈRE : T'étais le quatrième, la trail était déjà faite !

LA PATIENCE

Mon père est le roi de la diplomatie, un homme calme et rationnel. Vous lirez plus loin une anecdote vous le prouvant. Il ne m'est donc pas arrivé très souvent de le voir se fâcher. En fait, ça s'est produit trois fois. En voici le décompte officiel.

3e position : Octobre 1981

Nous sommes à la quincaillerie. Un client entre avec en main un ventilateur dans sa boîte.

CLIENT : Bonjour, j'aimerais retourner ce ventilateur. Voici ma facture.

PÈRE : Il ne fonctionne plus ?

CLIENT : Non, il fonctionne très bien, c'est juste que j'en ai plus besoin.

PÈRE : Pardon ?

CLIENT : Je... J'en ai plus besoin...

PÈRE : Je vois sur votre facture que vous l'avez acheté au mois de mai.

CLIENT : Exact.

PÈRE : Donc, vous l'avez utilisé tout l'été et il fonctionnait très bien.

CLIENT : Oui. Très satisfait.

PÈRE : Et maintenant, ce n'est plus nécessaire d'avoir un ventilateur, puisqu'on est en octobre et il fait frais.

CLIENT : C'est cela.

PÈRE : Et vous vous dites : « Je vais le retourner et reprendre mon argent, au printemps prochain je vais en prendre un flambant neuf que je pourrai ensuite retourner l'automne suivant. »

CLIENT : Eh bien... je... Dans un sens... Oui.

PÈRE : ME PRENEZ-VOUS POUR UN IMBÉCILE ? !

CLIENT : Euh...

PÈRE : Pensez-vous vous rafraîchir à mes frais pour l'éternité ? ! Voulez-vous que je vous passe une chaufferette et une pelle pour l'hiver ! ? Vous pourrez me les retourner au printemps et je vous redonnerai votre argent ! ! !

Personnellement, je n'ai jamais revu ce client.

2e position : Tous les hivers de ma vie

Toutes les fois où j'ai marché à l'extérieur par grand froid avec mon père, chose qui m'arrivait souvent étant petit car il m'accompagnait jusqu'à mon école primaire, si par malheur nous avions à affronter un puissant, cruel et saisissant facteur vent, inévitablement, après dix ou douze minutes de marche, mon père lâchait :

— Maudit que j'haïs le vent ! ! !

1re position : 20 avril 1984

Mes parents et moi sommes assis au salon. Ma mère est occupée à lire un quelconque roman d'amour douteux de Danielle Steel, soit *Romance à l'abattoir* ou *Le pouding du chevalier*, alors que mon père et moi regardons avec grand intérêt le match des séries opposant Canadiens et Nordiques, le fameux match du Vendredi saint. Nous sommes de Québec, nous habitons Québec, et nous sommes de très grands partisans des Nordiques. Mon père est assis sur SON La-Z-Boy. Je précise « son », car ce fauteuil ne pouvait être occupé par qui que ce soit d'autre. Évidemment, on pouvait l'utiliser lorsqu'il n'y était pas, mais à son arrivée au salon, quiconque y avait posé ses fesses se devait de le lui céder – enfants, mère, chat, oncle, visite, même la Reine d'Angleterre aurait eu à tasser son royal popotin pour lui redonner sa place.

Ce fauteuil était doté d'une poignée sur le côté permettant de lever le repose-pieds. À cet instant, il était en position « levé ». Mais les pieds de mon père n'y étaient pas. Le moment était beaucoup trop intense pour avoir les pieds négligemment reposés. Ses pieds étaient au sol, ses coudes sur ses cuisses, et il avait un verre de gros gin De Kuyper à la main.

L'arbitre Bruce Hood, que mon père a toujours détesté, expulse Peter Stastny et les Canadiens marquent le but leur donnant l'avance dans le match. De sa main libre, mon père donne un coup de poing sur le repose-pieds qui se fend en deux, tandis que les extrémités convergent vers le centre pour former un « V » parfait.

« V », comme dans « Victoire des Canadiens ».

PÈRE : SACRAMENT !!!!!

À ce moment, ma mère lève les yeux de son roman.

MÈRE : Est-ce que les Nordiques ont gagné ?
PÈRE : Ben non !!! À cause de c'te maudit pourri de Hood !!!
MÈRE : Moi, si tu te fâches, j'ai pas de plaisir.

Elle se lève, et alors qu'elle marche seule dans le corridor :

MÈRE : Bon ben j'pense que j'vais aller prendre un bain, moi.

Quelques années après cette mémorable colère, mon père s'est impliqué en politique municipale en devenant conseiller pour le quartier Saint-Sacrement de Québec. En le regardant aller, j'ai appris le sens de l'expression «avoir du doigté», mais j'ai surtout découvert un autre métier que je ne pourrais jamais pratiquer: la politique.

Un jour d'hiver de 1986, une dame appelle à la maison et demande à lui parler.

MOI: Mon père est absent, avez-vous un message?

DAME: Oui, vous lui direz que quand la souffleuse passe pour ramasser la neige, ça me réveille pendant ma sieste.

MOI: ...

DAME: Allô?!

MOI: Oui. Vous voulez vraiment que je lui dise ça?

DAME: Absolument! Il faut que ça cesse! Qu'ils ramassent la neige à une autre heure!

À mes yeux, cette dame avait autant de jugement qu'un vendeur de citrouilles qui part en vacances quatre jours avant l'Halloween. Personnellement, je lui aurais répondu quelque chose dans le genre: «Allez faire votre sieste dans le banc de neige, ça va régler le problème pour tout le monde.»

Mais mon père, avec la patience d'un moine tibétain qui fait la file dans une vente de liquidation de robes bouddhistes, a pris une vingtaine de précieuses minutes pour lui expliquer le gros bon sens et lui faire comprendre que gérer l'horaire des chutes de neige en fonction de ses roupillons était légèrement complexe.

Je n'ai donc pas suivi ses traces en politique municipale ni comblé ses possibles et légitimes aspirations de me voir pratiquer un métier noble dont tous les parents rêvent pour leur enfant: avocat.

Cela est une très bonne chose. Voici des exemples de ce que j'aurais probablement dit si j'avais dû passer ma vie au palais de justice :

— Comme demandé par le juge, afin de prouver que mon client n'est pas coupable, je lui ai trouvé un albinos, le voici... Quoi ? Un alibi ! Faudrait prononcer plus clairement, Votre Honneur.

— Je demanderais au jury d'oublier que mon client est coupable pour plutôt porter attention au fait qu'aujourd'hui il s'est habillé chic. C'est pas rien, ça !

— J'ai rien à dire pour défendre mon client, alors voici mes photos de voyage.

— Non, j'suis pas membre du barreau, mais j'ai ma carte de chez Costco par exemple !

QUELQUES ARPENTS DE PIÈGE

Les parties de *Pay Me* occupent maintenant toute la place dans nos soirées de famille, mais il fut un temps où certains autres jeux avaient la cote lorsque venait le temps de choisir une raison de ne pas être d'accord. *Master Mind, Clue, Battleship, Scrabble* ont tous été le point de départ de discordes amicales, mais tout de même tendues. Mais rien ne peut foutre le bordel comme une partie de *Quelques arpents de piège.*

Évidemment, en théorie, c'est pour s'amuser. En pratique, c'est autre chose.

MÈRE : Catégorie Histoire.
PÈRE : Shit...
MÈRE : Qui était l'empereur de la première République française ?
PÈRE : Napoléon !
MÈRE : Non.
PÈRE : Hein ? !
MÈRE : C'est marqué Napoléon 1er !
PÈRE : C'est sûr que c'est le premier ! Napoléon, y'en a pas eu quinze ! C'est pas Harry Potter !
MÈRE : Y'en a eu deux trois.
PÈRE : On en connaît juste un !!!
MÈRE : C'est pas ce que le carton dit.
PÈRE : Baptême !
MÈRE : Envoye, c'est à moi.
PÈRE : Géographie. De quel pays Nassau est-elle la capitale ?
MÈRE : Les Bahamas.

PÈRE : Ah ha ! Non !!!

MÈRE : Hein ?

PÈRE : C'est marqué : « Les îles Bahamas. »

MÈRE : C'est sûr que c'est les îles ! C'est sûrement pas les montagnes russes !

PÈRE : Et voilà ! C'est pas ce que le carton dit !!!

MOI : Quelqu'un veut quelque chose à boire ?

MÈRE ET PÈRE : Non !!!

LA CHAUDIÈRE

Mes parents ont toujours eu une santé de fer. Je ne peux me souvenir d'avoir vu ni l'un ni l'autre être malade au point de manquer une journée de travail ou d'annuler ses obligations. Ils ont été grippés et ont attrapé des virus, mais leur sens du devoir passait avant tout le reste. Le fait qu'ils sont encore aujourd'hui autonomes et en bonne santé à quatre-vingt-neuf ans constitue la preuve suprême de leur endurance de calibre olympique.

Mon père, particulièrement, a toujours été droit comme un pic. Même dans ses pires journées, il est frais rasé avec chemise et cravate. Je ne l'ai jamais vu ne serait-ce qu'avec une barbe de deux jours, une couette rebelle ou un vêtement fripé.

Une seule fois, j'ai senti chez lui un début de vulnérabilité. C'était un dimanche après-midi, je devais avoir environ dix-huit ans à l'époque. J'arrive dans la cuisine et constate que ma mère semble irritée. Mon père, lui, est assis au salon, en robe de chambre, à deux heures l'après-midi, chose que je n'avais jamais vue, pas même le jour de Noël. Il lit son journal avec une chaudière à ses côtés. Ce que je ne sais pas à ce moment, car le journal lui bloque le visage, c'est qu'il a enlevé son dentier.

Lorsque j'étais petit, il lui arrivait souvent de retirer ses dents pour me faire rire. L'effet comique est visuel, évidemment, mais aussi sonore, car soudainement les « ch » sonnent comme des « s » et les « j » sonnent comme des « z ». En fait, lorsqu'on n'a plus ses dents, tout sonne différemment, ce qui a rendu cette discussion encore plus absurde.

MOI : Ça va ?

MÈRE : Ton père est malade.

MOI : Qu'est-ce qu'il a ?

MÈRE : Un genre de gastro, un mal de cœur.

MOI : OK, c'est pour ça la chaudière.

MÈRE : Ouain.

MOI : Pourquoi t'as l'air fâchée ?

PÈRE : Elle est fâssée passe que z'ai enlevé mes dents !

MOI : Pourquoi t'as enlevé tes dents ?

PÈRE : Passe que sssi ze vomis, z'ai peur que mon dentier sssorte pis qu'il se casse dans le fond d'la saudière !

MÈRE : Franchement ! Quand on vomit, on le sent venir, ça arrive pas comme un éclair !

PÈRE : Des fois, sss'est hypocrite !

MÈRE : Ben non ! T'aurais en masse le temps d'enlever ton dentier avant de vomir !

PÈRE : Z'aime mieux pas prendre de sances !

MÈRE : Voir si ça a de l'allure !

PÈRE : Qu'esse que sa sanze ? !

MOI : Y'a raison, qu'est-ce que ça change ?

MÈRE : Ben c'est pas chic !

PÈRE : On s'en sssacre, que ssse ssoit pas sic !

MÈRE : Pas moi !

PÈRE : On est tout ssseuls ! La prinssessse de Monaco sss'en vient pas sssouper ici, à ssse que ze sassse !!!

MOI : C'est vrai.

MÈRE : C'est ça ! Mettez-vous à deux ! Enlève donc les tiennes aussi, un coup parti !!!

MOI : J'ai pas de dentier, maman.

PÈRE : Tant mieux ! C'est pas sssuper....

On dirait que plus deux personnes s'aiment, plus les raisons de leurs discordes deviennent absurdes et sans importance. C'est comme si leur amour et leur respect l'un envers l'autre sont tellement forts, leur union tellement solide et indestructible, que pour en arriver à un désaccord ils doivent chercher loin… jusqu'à atteindre le fond d'une chaudière.

LA TECHNOLOGIE

En avril 2016, un an avant la parution de ce livre, je vais à *Tout le monde en parle* afin de jaser de l'animation du Gala Les Olivier. Guy A. Lepage, dont les recherchistes ont fouillé ma page Facebook, me demande de lire en ondes un extrait d'une discussion téléphonique avec mes parents que j'avais publiée. La voici :

MÈRE : Pis, comment ça va, la préparation pour les galas pis les shows ?

MOI : Très bien !

(On entend mon père qui respire sur la ligne.)

MÈRE : Mon Dieu que tu respires fort, Jean-Paul !

PÈRE : Hein ?

MÈRE : Tu respires fort !

PÈRE : Bon, j'respire fort asteure...

MÈRE : On entend juste ça !

PÈRE : Faque j'ai pas l'droit de respirer ?

MÈRE : Oui, mais respire pas dans le téléphone !

PÈRE : J'irai pas respirer au Brésil !!!

MÈRE : Pas besoin de changer de continent ! Fais juste ne pas souffler dans l'téléphone !

PÈRE : J'peux quand même pas me le mettre dans les shorts, le maudit téléphone !!!

MÈRE : Non mais tu pourrais envoyer ton air vers l'autre bord !

PÈRE : Mon air sort de mon nez, pas de ma bouche ! Je respire ! Je souffle pas les chandelles d'un gâteau !!!

MÈRE : On dirait une femme qui accouche !

PÈRE : Es-tu encore là, François ?

MOI : Tellement...

Quelques heures après la diffusion de l'émission, la boîte de messages de ma page Facebook était remplie de discussions de parents de partout au Québec, prouvant cette opinion que partagent plusieurs fans : dans un sens, on a tous les mêmes parents.

Voici donc une courte section « publique ». Seuls les noms ont été changés afin de préserver la vie privée des parents ou grands-parents en question. Le point commun à toutes ces discussions : la maîtrise des nouvelles technologies !

Marie-Claude

Les parents de Marie-Claude ont soixante et onze et soixante-treize ans, et elle m'a permis de partager ici leur discussion, car de toute façon son père a dit : « C'est qui ça, François Morency ? »

Contrairement à mes parents qui regardent Internet comme un chat regarde un pointeur laser, ceux de Marie-Claude sont sur Facebook. Cependant, elle me confie que sa mère ne comprend pas toujours la différence entre un message privé et une publication affichée sur le mur, ce qui fait en sorte qu'elle peut parfois s'informer sur l'état des hémorroïdes de sa belle-sœur à la vue du monde entier. Marie-Claude me dit également que ses parents ne sont pas amis sur Facebook.

Voici la discussion qu'ils ont eue à ce sujet lors d'un souper de Noël :

M.-C. : Pourquoi vous êtes pas amis Facebook ?
PÈRE : Ta mère me le demande tout l'temps, mais c'est non !
MÈRE : Même pas vrai ! J'lui ai jamais demandé !

M.-C. : Pourquoi ?

MÈRE : Y'est tout l'temps ici, j'le sais c'qu'il fait ! Je commencerai pas en plus à aller voir sur son Facebook !

PÈRE : C'est pas parce que tu couches avec une fille que t'es obligé d'être ami Facebook avec !!!

Mélanie

La grand-mère de Mélanie, qui a quatre-vingt-six ans, est sur Facebook. Elle a dans ses contacts tous ses enfants, petits-enfants et arrière-petits-enfants ! C'est de cette façon qu'elle prend de leurs nouvelles quotidiennement. Et elle écrit des messages plus loufoques les uns que les autres.

Un jour, elle se rend compte qu'il lui manque une de ses petites-filles (la cousine de Mélanie) dans ses contacts Facebook. Elle écrit donc ceci sur son mur Facebook :

« Bonjour Facebook ! J'avais dans mes contacts ma petite-fille Julie, elle n'y est plus ! Je suis bien triste. Veuillez la remettre dans mes amis Facebook, car je l'aime beaucoup. Merci. »

Sophie L.

Son père lui a un jour demandé de changer le message de la boîte vocale de son propre téléphone cellulaire, afin qu'il dise ceci :

— « Merci de ne pas me laisser de message, car je suis incapable de les prendre. »

Annie B.

La grand-maman d'Annie, qui a quatre-vingt-dix ans, reçoit en cadeau un iPad sur lequel on a installé la musique qu'elle aime, chose qui la ravit au plus haut point.

Le lendemain, elle demande à Annie de venir faire un tour. C'est au sujet du iPad. À l'arrivée d'Annie, grand-maman l'amène dans la pièce du fond de l'appartement où, dans un garde-robe, sous une pile de vêtements et de coussins, se trouve le iPad d'où la musique joue. Et grand-maman de déclarer :

— Arrête-moi ça, m'as virer folle ! J'étais pas capable de l'arrêter, faque je l'ai étouffé !

Voici maintenant comment les choses se sont déroulées lorsque j'ai appelé mes parents pour leur apprendre que mes frères, ma sœur et moi allions leur installer le wi-fi chez eux.

MOI : On va vous installer le wi-fi dans la maison.
PÈRE : C'est quoi ça ?
MOI : C'est Internet sans fil.
MÈRE : L'Internet... J'comprends rien là-dedans... Juste une affaire de sexe !
MOI : Ouain, t'as l'air au courant... Tu nous caches quelque chose ?
PÈRE : Ha ! ha ! ha !
MÈRE : Franchement !!!
MOI : Faudrait vous trouver un code d'accès.
PÈRE : C'est quoi ça ?
MOI : Ben un code, ça peut être un mot, mettons...
PÈRE : Comme mettons « papa » !
MÈRE : Pourquoi pas « maman » ?
MOI : Faudrait quelque chose de plus compliqué.

PÈRE : Pourquoi ?

MOI : Pour éviter de vous faire pirater.

PÈRE : Où ça des pirates ? !

MOI : Y'a des gens qui tentent de trafiquer les comptes, donc ça prend un code compliqué à deviner.

MÈRE : Ça pourrait être « biscuit ».

PÈRE : C'est pas compliqué, « biscuit » !

MÈRE : Ben c'est plus compliqué que « sexe » !!!

MOI : Idéalement, ça prend un mélange de chiffres et de mots.

MÈRE : « 2Biscuits ».

MOI : Ça pourrait être « Le vent souffle 4893 ».

MÈRE : Qu'est-ce que ça veut dire ?

PÈRE : Rien. C'est pour mélanger les pirates !

MÈRE : C'est moi que tu mélanges !

MOI : Bon, je vous laisse en jaser...

Toujours sur le thème de la technologie, la discussion suivante a eu lieu à Noël 2015. Une bonne partie de la famille était réunie chez un de mes frères à Québec, tandis que mon autre frère était chez lui à Saint-Lambert. On s'est dit qu'une discussion par Skype pour échanger des vœux serait une bonne idée !

MOI : On va parler à Bernard par Skype.

PÈRE : Par quoi ?

MOI : Skype.

MÈRE : C'est quoi ça ?

MOI : C'est une application vidéo Internet en direct.

PARENTS : ...

MOI : C'est comme parler au téléphone, mais par l'ordinateur.

PARENTS : ...

MOI : C'est un appel téléphonique, visuel.

PARENTS : ...

MOI : On va le faire, vous allez comprendre.

(Mon frère et sa femme apparaissent à l'écran.)

FRÈRE ET ÉPOUSE: Salut tout le monde !

GROUPE: Salut !

MÈRE: Y'ont enregistré ça quand ?

SŒUR: C'est pas enregistré, ils sont en direct chez eux à Saint-Lambert.

MÈRE: Ah !

PÈRE: VOUS ÊTES À SAINT-LAMBERT !!!

FRÈRE: Oui.

PÈRE: ON VOUS VOIT !!!

FRÈRE: Nous aussi on vous voit.

PÈRE: BON !!!

FRÈRE: On vous entend aussi, en passant...

PÈRE: JOYEUX NOËL !!!

MÈRE: Pas besoin de crier !

PÈRE: Ils sont à Saint-Lambert !

MÈRE: Même s'ils étaient en Australie, le son se rend pareil !

PÈRE: Faque t'es rendue experte en Mike !

MOI: Skype.

PÈRE: Skype !

MOI: Comment va ta santé ?

FRÈRE: Je vais très bien merci.

PÈRE: JOYEUX NOËL !!!

FRÈRE: Oui, joyeux Noël à vous aussi !

PÈRE: C'EST ÇA !!! ON EST CHEZ TON FRÈRE POUR NOËL !!!

FRÈRE: Oui ! J'vous vois avec le sapin.

PÈRE: JOYEUX NOËL !!!

MÈRE: En tout cas, si ils passent pas un joyeux Noël, ce sera pas parce que t'as pas essayé !

PÈRE: Y'A-TU DE LA NEIGE CHEZ VOUS ?!?!

FRÈRE: Pas beaucoup, non.

PÈRE: AH ! NOUS Y'EN A UN PEU. ON EST À QUÉBEC !!!

FRÈRE: Bon. Donc, vous avez un Noël blanc, c'est super !

PÈRE: OUI !!! JOYEUX NOËL !!!!!

Vous comprendrez évidemment que mes parents ne sont ni sur Facebook ni sur Twitter ; en fait je ne crois pas qu'ils en connaissent l'existence, et encore moins qu'ils en saisissent le fonctionnement. L'ordinateur que mon père possède lui sert à recevoir et envoyer des courriels, mais c'est tout. Et si un document est joint au courriel, il ne pourra pas l'ouvrir. Finalement, il s'agit d'un fax sans papier, avec un écran.

Mais c'est plus fort que moi, je me dois d'imaginer ce que serait leur premier échange sur Twitter dans le scénario fort peu probable où les deux en arriveraient à s'y ouvrir un compte.

MÈRE : Bonjour !
PÈRE : Bonjour !!!!!!!
MÈRE : Qu'est-ce tu fais ?
PÈRE : Je suis sur Twitter !!!!!!!
MÈRE : Moi aussi.
PÈRE : Je suis au courant !!!!!!!
MÈRE : D'accord.
#discussion
PÈRE : Pourquoi tu mets le signe « # » ??!!!!!!!!!
MÈRE : Ça veut dire hashtag, ça désigne le sujet de discussion dont on parle.
#expliqueamonmari
PÈRE : Pourquoi ??? !!!!!!!
MÈRE : Parce que c'est comme ça.
#pasmoiquifaislesrègles
PÈRE : Ils m'ont aussi dit qu'on doit être concis et de pas mettre inutilement des mots ou expressions trop élaborés car les messages Twitter contiennent un maximum de 140 ca.
MÈRE : C'est quoi des « ca » ?
PÈRE : Des caractères. J'ai manqué d'espace !!!!!!!!!

MÈRE : Parlant de caractère, calme le tien, arrête de te fâcher et cesse de toujours mettre des « !!! ».

#puscapable

PÈRE : Je gère mon clavier comme je veux.

#!!!!!!!

LA PREMIÈRE DISCUSSION

J'ai cru qu'il serait bien de terminer ce livre en vous offrant la toute première discussion qu'ont eue mes parents, ainsi que les deux ou trois autres ayant suivi. Après les avoir interrogés tous les deux sur l'événement en question, j'ai aussi recueilli les témoignages de mes frères et de ma sœur sur les versions entendues concernant cette première rencontre ; à quelques détails près, tous m'ont raconté la même histoire.

Précisons d'abord que cela s'est déroulé en 1949 lors d'une soirée dansante. Oui, je sais, le terme « soirée dansante » est depuis disparu, à peu près au même moment que « turberculose », « livreur de glace » et « mouche de moutarde ». « Paraplotte » est apparu plus tard.

« Soirée dansante » avait cependant le mérite d'être clair : ça se passait le soir et on y allait pour danser, contrairement aux raves et aux partys qui se déroulent à toute heure du jour ou de la nuit et où on fait bien des choses outre la danse. De toute façon, j'imagine difficilement mes parents dans un rave, torse nu et huilé, des bâtons fluorescents dans les mains, à se dandiner sur un air de Frank Sinatra.

La soirée en question se déroulait au Manège militaire de Beauport, pas très loin du quartier où habitait ma mère : Saint-Grégoire. Mon père, lui, habitait le quartier Saint-Sauveur, qui avait à l'époque mauvaise réputation ; situé dans la basse-ville, plus pauvre et plus dur que les quartiers de la haute-ville, d'où on le regardait avec un certain snobisme.

Ce soir-là, mon père et son meilleur ami Jean-Marc avaient déjà arpenté les pistes de trois ou quatre soirées dansantes sans trouver de jeunes biches intéressantes et libres avec qui faire des steppettes. C'est à la suite d'une information venant d'un ami commun, l'excellent Fernand Drapeau (non, pas le même Fernand qui a planté dans les framboises de Maurice en jouant au baseball), qu'ils se sont dirigés, à leurs risques, vers Beauport.

Il faut comprendre que le sentiment territorial était très puissant à l'époque et que l'arrivée de trois « étrangers » de Saint-Sauveur dans une soirée à Beauport n'était pas vu d'un bon œil par les fringants locaux. Pour eux, l'idée de partager leurs filles avec des bums de la basse-ville était aussi bien accueillie que la visite d'un cracheur de feu dans un musée de cire.

Mon père travaillait à l'époque à la quincaillerie de mon grand-père Édouard. Puisque ni lui ni ses deux comparses ne possédaient de voiture, il a donc utilisé le camion pick-up de livraison du commerce pour cette tournée des grands ducs. Cela me fait sourire car, à mon bal de graduation en 1984, c'est avec la voiture de livraison du commerce de mon père, une Ford Fairmont station-wagon bourgogne marquée « Quincaillerie Morency », que je suis allé chercher ma douce. Oui, de génération en génération, les mâles Morency courtisent la dame avec un véhicule robuste à l'odeur de sacs de mastic et de térébenthine.

C'est donc tous assis sur la banquette du pick-up que le gros trio offensif se pointe à Beauport. À leur arrivée, ils s'adressent au portier.

PÈRE : Salut.
PORTIER : Bonsoir messieurs.
PÈRE : Y'a-tu des belles filles ici à soir ?
PORTIER : Ben y'en a trois juste là au vestiaire.

Ma mère et deux de ses amies, dont la pétillante Jeannette Rouleau, reprennent leurs manteaux au vestiaire lorsque mon père intervient.

PÈRE : Salut.
MÈRE : Salut.
PÈRE : Vous quittez déjà ?
MÈRE : Oui.
PÈRE : Pourquoi ?
MÈRE : Y'a personne qui nous demande pour danser.
PÈRE : Ben moi je vous le demande.

Mon père prend alors le manteau de ma mère et le remet au vestiaire, et ils retournent à l'intérieur avec le reste du groupe.

Peu de choses se sont dites lors de cette première danse, outre les informations de base : nom, travail, loisir préféré et autres renseignements habituels, ceux qu'on entend encore en 2017 lorsque deux personnes font connaissance, ce genre d'échange qui se termine souvent par le classique : « Oui, j'aime vraiment les marches en forêt. » Et comme c'est encore le cas aujourd'hui, à l'époque, la soirée ne se terminait pas nécessairement avec le dernier slow.

MÈRE : Merci pour les danses !
PÈRE : Fait plaisir. Vous êtes venues comment, les filles ?
MÈRE : En taxi.
PÈRE : OK, on vous ramène.

Puisque l'idée de dire aux filles d'aller s'asseoir au grand vent dans la boîte arrière du pick-up avec une chaudière à clous et des madriers n'était pas une option, il a donc fallu faire entrer six personnes sur la banquette avant, ce qui se compare à caser un lutteur sumo qui fait de la rétention d'eau dans le coffre d'une Smart.

La suite des événements varie selon la personne qui la raconte.

PÈRE : Ta mère a fait exprès pour s'asseoir à cheval sur le bras de transmission que je devais manœuvrer.

MÈRE : Même pas vrai ! C'est toi qui avais les mains longues !

PÈRE : Je répondais aux provocations !

MÈRE : C'est épouvantable d'entendre ça... Toi t'as eu le coup de foudre, moi j'hésitais !

PÈRE : T'as pas hésité longtemps !

MÈRE : Au moins deux semaines !

Je peux comprendre mon père d'avoir tenté de profiter de toutes les chances qui lui étaient offertes. La technologie n'était pas au rendez-vous, jadis, afin de faciliter les rapprochements. La famille de ma mère ne possédant pas le téléphone, mon père devait donc appeler chez la deuxième voisine, une dame qui s'appelait Emérancienne. Quand ton prénom contient le mot « ancienne », c'est sûr que tu n'es pas le plus récent modèle. Non seulement elle a vécu l'arrivée du téléphone, elle a possiblement déjà gardé Alexander Graham Bell.

Donc, mon père appelait chez Emérancienne et lui disait : « J'aimerais parler à Raymonde Mathieu. » Emérancienne enfilait son manteau et ses bottes, sortait de chez elle, allait cogner à la porte de chez ma mère.

EMÉRANCIENNE : Raymonde !

MÈRE : Quoi ?

EMÉRANCIENNE : Téléphone !

MÈRE : C'est qui ?

EMÉRANCIENNE : ...

MÈRE : ...

EMÉRANCIENNE : Je sais pas et je retourne pas pour demander !

MÈRE : OK, j'vais aller avec toi.

Autre handicap: les très strictes mœurs de l'époque offraient très peu d'occasions. Lorsque Augustine, ma grand-mère maternelle, a su que ma mère avait un nouveau prétendant, elle a insisté afin que leurs prochaines rencontres aient lieu chez elle, sous son inflexible supervision.

Les soirées se déroulaient ainsi: après un bref échange de politesses d'usage, mes parents s'assoyaient sur le sofa du salon, et Augustine prenait place à la table de la cuisine, à faire semblant d'exécuter une tâche quelconque. Les deux pièces étaient communicantes, et sur le demi mur les séparant il y avait un aquarium. Une fois la noirceur arrivée, mon père allumait toujours la lumière de l'aquarium.

MÈRE: *(Chuchotant)* Pourquoi t'allumes l'aquarium?

PÈRE: Parce qu'avec l'aquarium allumé, ta mère peut pas nous voir et je peux t'embrasser.

Quand elle n'entendait plus personne parler, Augustine relevait la tête comme un chien pointer ayant spotté un gibier à plumes et, comprenant le manège:

AUGUSTINE: Pourriez-vous éteindre l'aquarium?!

MÈRE: Pardon?

AUGUSTINE: Je vous demande d'éteindre la lumière de l'aquarium!

PÈRE: *(Hypocritement)* Pourquoi? C'est tellement beau quand c'est allumé!

AUGUSTINE: Parce que... Parce que la lumière est forte et je veux pas que mes poissons aient trop chaud...!

Augustine, qui avait visiblement suivi une formation du FBI sur la surveillance, avait même élaboré certaines techniques afin de s'auto-rassurer lorsqu'est venu le temps de permettre à sa fille de sortir avec son nouveau cavalier. Elle insistait pour que mon père utilise le camion de livraison du commerce, et non pas la voiture régulière de mon grand-père.

AUGUSTINE : Prenez toujours le camion de la quincaillerie quand vous sortez avec ma fille, monsieur Morency.

PÈRE : Mais la voiture est beaucoup plus confortable.

AUGUSTINE : Et surtout anonyme !

PÈRE : Pardon ?

AUGUSTINE : Vous n'oserez pas aller vous stationner dans des endroits louches pour faire des choses douteuses si le nom de votre père est affiché en grosses lettres sur le véhicule ! N'est-ce pas ?

PÈRE : Oui madame…

La suite de l'histoire de mes parents se compare facilement à celle de tout autre couple : l'intérêt mutuel a grandi, les choses sont devenues sérieuses, ils se sont mariés et ont eu des enfants. Oui, vite de même, ça semble facile.

Évidemment, les options de l'époque n'étaient pas les mêmes qu'aujourd'hui. Une fois sorti de l'école, il y avait deux possibilités : travailler et se marier pour ensuite avoir des enfants, ou encore entrer en congrégation. Pas question de partir découvrir l'Europe pendant six mois, ni de s'accoter pendant trois ou quatre ans en attendant de voir ce qui arrivera. Il fallait opérer. Les pressions sociales, familiales et religieuses étaient énormes.

Mais ni ces contraintes, ni l'absence de choix ne peuvent expliquer pleinement la stabilité et la longévité d'un couple comme celui de mes parents. Il doit y avoir autre chose. Ce n'est pas tout d'obliger les gens à monter à bord du véhicule de la normalité, encore faut-il qu'ils puissent le conduire en évitant de prendre le champ et ainsi blesser tous ceux et celles qui s'y trouvent.

Je sais qu'il n'y a ni truc ni technique, et encore moins de mode d'emploi clair et efficace pouvant assurer l'équilibre en amour. Si c'était le cas, tout le monde appliquerait la recette à la lettre et il n'y aurait aucune chicane, aucune séparation.

Est-ce que deux personnes peuvent être naturellement faites pour aller ensemble, ou si plusieurs combinaisons sont possibles ? Qu'est-ce qui fait la différence ? Qu'est-ce qui, proportionnellement, facilite le plus les choses : le travail sur son couple ou la chimie naturelle ? Je présume que chaque cas est différent.

Pour ce qui est de mes parents, je crois qu'à la base, ils s'aiment vraiment. Qu'ils ne peuvent envisager la vie l'un sans l'autre. Je crois aussi qu'ils ont travaillé très, très fort pour maintenir le cap, que le respect, le sens du devoir et l'humour ont joué des rôles primordiaux dans l'équation. Comme dans toute longue et belle aventure, ils se sont lancés sans trop savoir ce qui allait arriver et ils ont réglé les problèmes, petits et gros, au fur et à mesure en apprenant sur le tas. Et lorsque survient une situation inattendue, lorsqu'on les pousse, quand un fatigant comme moi pose trop de questions, la réplique assassine est toujours là pour rétablir l'ordre.

MOI : J'suis surpris quand tu dis que t'as pas eu le coup de foudre quand t'as rencontré papa.

MÈRE : Non, ça m'a pris trois ou quatre rendez-vous avant d'être vraiment intéressée.

MOI : Avant, c'était un gars parmi d'autres ?

MÈRE : Oui.

MOI : C'est bizarre. Votre couple marche tellement bien depuis tellement longtemps.

MÈRE : Toi, tes blondes, as-tu eu le coup de foudre en les rencontrant ?

MOI : Souvent, oui !

MÈRE : Et on voit le résultat. T'as cinquante ans, t'es pas marié et t'as pas d'enfants !

MÈRE : J'espère qu'on ira pas en voyage de noces dans le camion de la quincaillerie !

PÈRE : J'espère qu'il y aura pas d'aquarium dans la chambre d'hôtel ce soir !

REMERCIEMENTS

Merci au téléphone traditionnel, c'est-à-dire aux lignes « maison » grâce auxquelles plusieurs de ces discussions ont pu avoir lieu. Avec l'arrivée du cellulaire, appeler ses parents et les avoir ensemble, chacun dans sa pièce, sur la même ligne, sera dorénavant impossible, à moins de planifier un appel-conférence, ce qui, disons-le, ruine pas mal la magie de la spontanéité. Oui, la technologie va tuer l'humour.

Merci à Guylaine Girard et à toute l'équipe des Éditions de l'Homme pour les bons mots et le soutien. Oui, le soutien. Un bon éditeur se doit d'être comme des bons sous-vêtements: confortable, rassurant, fiable, assez ferme pour soutenir sans étouffer, mais aussi assez lousse pour laisser respirer sans oublier de ramener les choses au bon endroit. J'aimerais que cette dernière phrase soit affichée à l'entrée de leurs bureaux.

Merci à India Desjardins pour la superbe préface de ce livre, pour les nombreux bons conseils qu'elle me donne depuis mon arrivée dans le monde littéraire en 2012, mais surtout pour son amitié. Cela étant dit, lorsque vient le temps de commander au restaurant, elle ne sait pas ce qu'elle fait; non seulement elle retarde le processus en posant dix mille questions au pauvre serveur exaspéré, mais de plus, elle fait le pire choix tout en me jugeant malgré mon efficacité de vétéran. Voilà, c'est dit.

Merci à Pierre Prince et Julien Tapp, deux très talentueux collègues scripteurs humoristiques, pour leurs excellentes remarques et suggestions. Veuillez noter que dans la vie en général, ils font de très mauvaises remarques et suggestions. Particulièrement en ce qui concerne les vêtements. Mais pour les textes, ils sont excellents.

Merci à Élyse-Andrée Héroux pour l'excellente révision. Non, elle ne m'a pas frappé à coups de cravache ni humilié avec des insultes dégradantes. Je le lui avais pourtant demandé, elle a refusé, prétextant que ces choses-là « ne se font pas entre professionnels… bla-bla-bla… ». Cependant, ses « moi ici je suggère plutôt » ont été très pertinents et utiles.

Merci à Martin Langlois, gérant et ami, pour sa précieuse collaboration à l'ensemble de mes projets. Si on oublie le fait qu'il habite un endroit où il doit régulièrement faire bouillir son eau avant consommation, c'est un bien chic type.

Merci aux fans qui me suivent depuis vingt-cinq ans. À part les deux fatigants qui littéralement « me suivent » partout malgré une interdiction de la cour.

Et finalement, merci à mes parents. Dans la vie, il y a deux choses qui nous sont données sans que l'on ne fasse quoi que ce soit pour les mériter : la santé et la chance de grandir dans un environnement familial favorable et positif, où il n'y a ni abus ni violence de quelque type que ce soit. Le foyer familial doit être une forteresse, un endroit où rien de négatif ne peut nous arriver, où l'on entre pour se recharger avant de retourner faire face à la vie. Et quand on en ressort rechargé, il est beaucoup plus facile de redonner du positif aux personnes qu'on croise.

Grâce à vous deux j'ai eu cette chance. Je vous en serai éternellement reconnaissant.

TABLE DES MATIÈRES